연산부터 문해력까지
풍산자 연산으로
초등 수학을 시작해요.

풍산자 연산

초등 연산의 모든 것

초등 **수학** 6-1

구성과 특징

1일차 학습 주제별 연산 문제를 풍부하게 제공합니다.

주제별 알아야 하는 개념을 살펴봐요.   많은 문제로 연산을 연습해요.

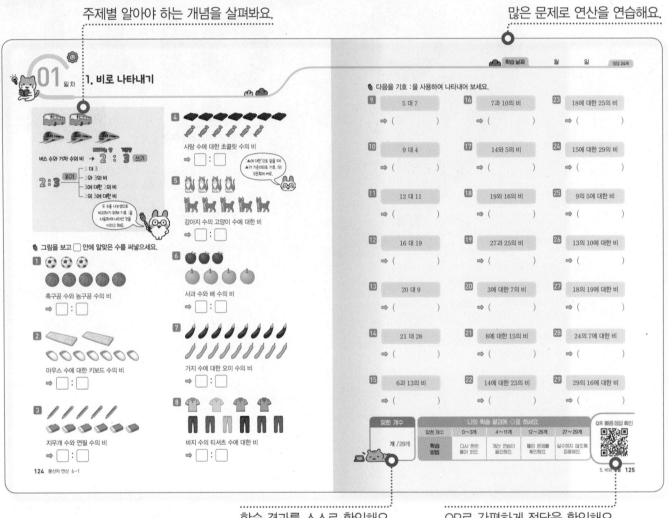

학습 결과를 스스로 확인해요.   QR로 간편하게 정답을 확인해요.

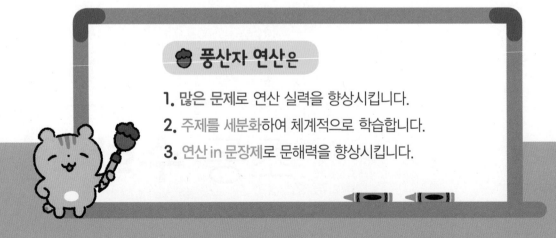

🌰 풍산자 연산은

1. 많은 문제로 연산 실력을 향상시킵니다.
2. 주제를 세분화하여 체계적으로 학습합니다.
3. 연산 in 문장제로 문해력을 향상시킵니다.

2일 차

연산을 반복 연습하고, 문장제에 적용하도록 구성했습니다.

반복 연습으로 연산 실력을 키워요.   문장제로 문해력과 연산 실력을 함께 키워요.

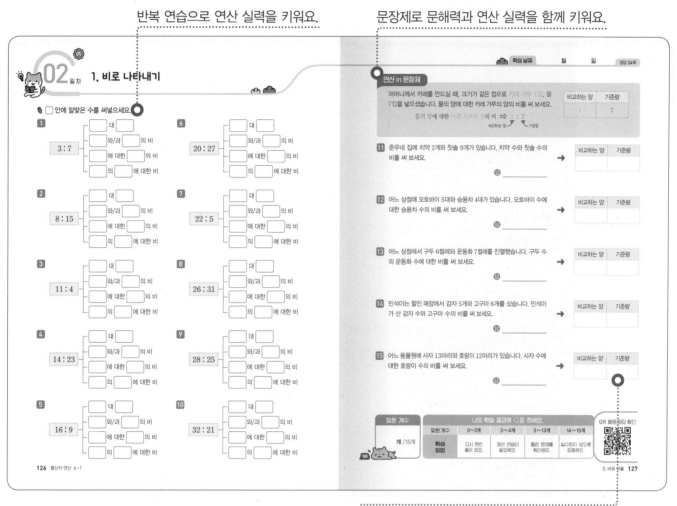

연산 도구로 문장제 속 연산을 정확하게 해결해요.

연산&문장제 마무리

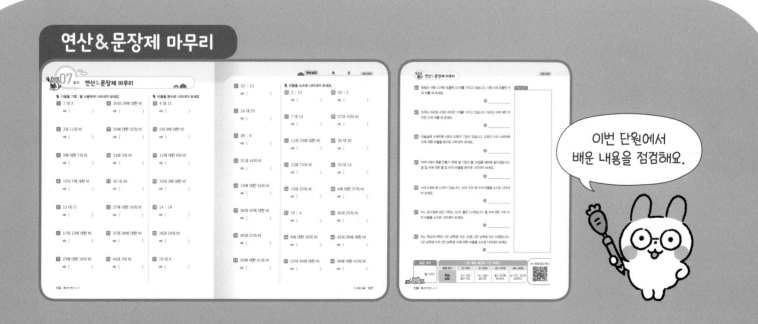

이번 단원에서 배운 내용을 점검해요.

차례

1

분수의 나눗셈 (1)

01 일차 1. 1÷(자연수)

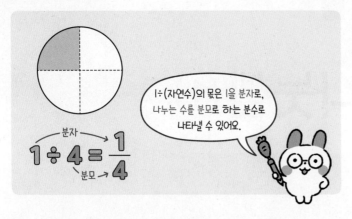

1÷(자연수)의 몫은 1을 분자로,
나누는 수를 분모로 하는 분수로
나타낼 수 있어요.

$$1 \div 4 = \frac{1}{4}$$

분자 → 1, 분모 → 4

🥕 그림을 보고 ☐ 안에 알맞은 수를 써넣으세요.

1
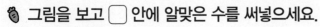
$1 \div 2 = \dfrac{\boxed{}}{\boxed{}}$

2
$1 \div 3 = \dfrac{\boxed{}}{\boxed{}}$

3
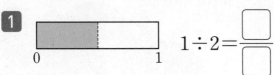
$1 \div 5 = \dfrac{\boxed{}}{\boxed{}}$

4
$1 \div 6 = \dfrac{\boxed{}}{\boxed{}}$

5
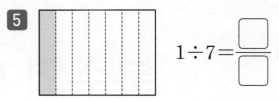
$1 \div 7 = \dfrac{\boxed{}}{\boxed{}}$

6
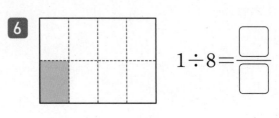
$1 \div 8 = \dfrac{\boxed{}}{\boxed{}}$

7
$1 \div 9 = \dfrac{\boxed{}}{\boxed{}}$

8
$1 \div 10 = \dfrac{\boxed{}}{\boxed{}}$

9
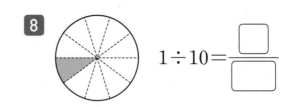
$1 \div 16 = \dfrac{\boxed{}}{\boxed{}}$

나눗셈의 몫을 분수로 나타내어 보세요.

10 $1 \div 4$

18 $1 \div 22$

26 $1 \div 41$

11 $1 \div 7$

19 $1 \div 25$

27 $1 \div 43$

12 $1 \div 8$

20 $1 \div 30$

28 $1 \div 45$

13 $1 \div 10$

21 $1 \div 32$

29 $1 \div 46$

14 $1 \div 11$

22 $1 \div 35$

30 $1 \div 49$

15 $1 \div 14$

23 $1 \div 36$

31 $1 \div 50$

16 $1 \div 17$

24 $1 \div 39$

32 $1 \div 52$

17 $1 \div 21$

25 $1 \div 40$

33 $1 \div 55$

맞힌 개수	나의 학습 결과에 ○표 하세요.				QR 빠른정답 확인
	맞힌 개수	0~3개	4~13개	14~30개	31~33개	
개 /33개	학습 방법	다시 한번 풀어 봐요.	계산 연습이 필요해요.	틀린 문제를 확인해요.	실수하지 않도록 집중해요.	

1. 1÷(자연수)

🥕 그림을 보고 ☐ 안에 알맞은 수를 써넣으세요.

1 $1 \div 3 = \dfrac{\square}{\square}$

2 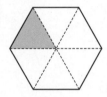 $1 \div 6 = \dfrac{\square}{\square}$

3 $1 \div 9 = \dfrac{\square}{\square}$

4 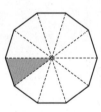 $1 \div 10 = \dfrac{\square}{\square}$

5 $1 \div 12 = \dfrac{\square}{\square}$

6 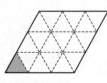 $1 \div 18 = \dfrac{\square}{\square}$

🥕 나눗셈의 몫을 분수로 나타내어 보세요.

7 $1 \div 5$

8 $1 \div 13$

9 $1 \div 15$

10 $1 \div 19$

11 $1 \div 20$

12 $1 \div 23$

13 $1 \div 26$

14 $1 \div 28$

15 $1 \div 33$

연산 in 문장제

빵 한 개를 3명이 똑같이 나누어 먹으려고 합니다. 한 명이 먹을 수 있는 빵은 몇 개인지 구해 보세요.

$$1 \div 3 = \frac{1}{3} (개)$$

빵의 수　　사람 수　　한 명이 먹을 수 있는 빵의 수

$$1 \div 3 = \frac{1}{3}$$

---

16 찰흙 1 kg을 2명이 똑같이 나누어 가지려고 합니다. 한 명이 가질 수 있는 찰흙의 무게는 몇 kg인지 구해 보세요.

→

답 _____

17 케이크 한 개를 4명이 똑같이 나누어 먹으려고 합니다. 한 명이 먹을 수 있는 케이크는 몇 개인지 구해 보세요.

→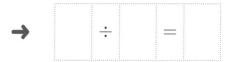

답 _____

18 밭 1 m² 를 5등분하여 5종류의 채소를 각각 심으려고 합니다. 한 종류의 채소를 심을 수 있는 밭의 넓이는 몇 m² 인지 구해 보세요.

→

답 _____

19 길이가 1 m인 나무 도막을 9개로 똑같이 나누려고 합니다. 나누어야 하는 나무 도막 한 개의 길이는 몇 m인지 구해 보세요.

→

답 _____

20 주스 1 L를 컵 10개에 똑같이 나누어 담으려고 합니다. 컵 한 개에 담아야 하는 주스는 몇 L인지 구해 보세요.

→

답 _____

21 피자 한 판을 12명이 똑같이 나누어 먹으려고 합니다. 한 명이 먹을 수 있는 피자는 몇 판인지 구해 보세요.

→

답

맞힌 개수	나의 학습 결과에 ○표 하세요.				QR 빠른정답 확인
	맞힌 개수	0~2개	3~7개	8~19개	20~21개
개 /21개	학습 방법	다시 한번 풀어 봐요.	계산 연습이 필요해요.	틀린 문제를 확인해요.	실수하지 않도록 집중해요.

2. 몫이 1보다 작은 (자연수)÷(자연수)

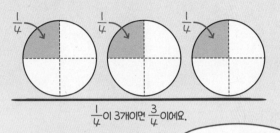

$\frac{1}{4}$이 3개이면 $\frac{3}{4}$이에요.

$3 \div 4 = \frac{3}{4}$

분자
분모

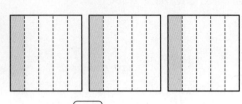

(자연수)÷(자연수)의 몫은 나누어지는 수를 분자로, 나누는 수를 분모로 하는 분수로 나타낼 수 있어요.

🥕 그림을 보고 ☐ 안에 알맞은 수를 써넣으세요.

1

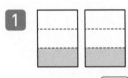

$2 \div 3 = \dfrac{\boxed{}}{\boxed{}}$

2

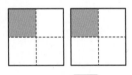

$2 \div 4 = \dfrac{\boxed{}}{\boxed{}}$

3

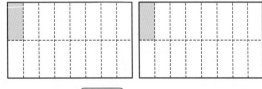

$2 \div 16 = \dfrac{\boxed{}}{\boxed{}}$

4

$3 \div 5 = \dfrac{\boxed{}}{\boxed{}}$

5

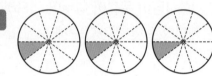

$3 \div 10 = \dfrac{\boxed{}}{\boxed{}}$

6

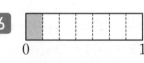
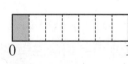
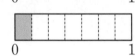
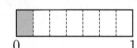

$4 \div 7 = \dfrac{\boxed{}}{\boxed{}}$

7

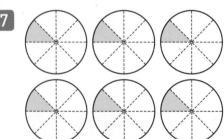

$6 \div 8 = \dfrac{\boxed{}}{\boxed{}}$

🥕 나눗셈의 몫을 기약분수로 나타내어 보세요.

| 8 | $3 \div 8$ | 16 | $12 \div 18$ | 24 | $20 \div 33$ |

| 9 | $5 \div 12$ | 17 | $12 \div 27$ | 25 | $21 \div 35$ |

| 10 | $6 \div 9$ | 18 | $13 \div 15$ | 26 | $22 \div 39$ |

| 11 | $6 \div 11$ | 19 | $15 \div 20$ | 27 | $25 \div 27$ |

| 12 | $7 \div 10$ | 20 | $16 \div 29$ | 28 | $26 \div 30$ |

| 13 | $10 \div 13$ | 21 | $18 \div 25$ | 29 | $28 \div 35$ |

| 14 | $11 \div 12$ | 22 | $19 \div 30$ | 30 | $29 \div 40$ |

| 15 | $11 \div 15$ | 23 | $20 \div 25$ | 31 | $35 \div 51$ |

맞힌 개수	나의 학습 결과에 ○표 하세요.				QR 빠른 정답 확인
	맞힌 개수	0~3개	4~12개	13~28개	29~31개
개 /31개	학습 방법	다시 한번 풀어 봐요.	계산 연습이 필요해요.	틀린 문제를 확인해요.	실수하지 않도록 집중해요.

2. 몫이 1보다 작은 (자연수)÷(자연수)

🥕 그림을 보고 □ 안에 알맞은 수를 써넣으세요.

🥕 나눗셈의 몫을 기약분수로 나타내어 보세요.

1

$$3 \div 4 = \frac{\square}{\square}$$

2

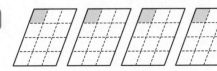

$$4 \div 12 = \frac{\square}{\square}$$

3

$$5 \div 7 = \frac{\square}{\square}$$

4

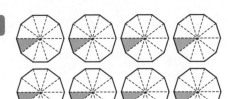

$$8 \div 10 = \frac{\square}{\square}$$

5

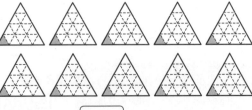

$$10 \div 16 = \frac{\square}{\square}$$

6 $2 \div 7$

7 $4 \div 6$

8 $5 \div 9$

9 $8 \div 14$

10 $9 \div 13$

11 $14 \div 25$

12 $17 \div 19$

13 $20 \div 27$

14 $23 \div 26$

15 $28 \div 40$

연산 in 문장제

물 2 L를 컵 9개에 똑같이 나누어 담으려고 합니다. 컵 한 개에 담아야 하는 물은 몇 L인지 구해 보세요.

$$2 \div 9 = \frac{2}{9}$$

$$2 \div 9 = \frac{2}{9} (L)$$

물의 양   컵 수   컵 한 개에 담아야 하는 물의 양

---

16 설탕 4 kg을 그릇 11개에 똑같이 나누어 담으려고 합니다. 그릇 한 개에 담아야 하는 설탕은 몇 kg인지 구해 보세요.

답 _____

17 똑같은 피자 5판을 15명이 똑같이 나누어 먹으려고 합니다. 한 명이 먹을 수 있는 피자는 몇 판인지 구해 보세요.

답 _____

18 우유 8 L를 20명이 똑같이 나누어 마셨습니다. 한 사람이 마신 우유는 몇 L인지 구해 보세요.

답 _____

19 끈 10 m를 17명이 똑같이 나누어 가지려고 합니다. 한 명이 가질 수 있는 끈의 길이는 몇 m인지 구해 보세요.

답 _____

20 감자 샐러드 15 kg을 28통에 똑같이 나누어 담으려고 합니다. 통 한 개에 담아야 하는 감자 샐러드는 몇 kg인지 구해 보세요.

답 _____

21 밀가루 24 kg으로 크기와 모양이 같은 케이크 30개를 만들었습니다. 케이크 한 개를 만드는 데 사용한 밀가루는 몇 kg인지 구해 보세요.

답 _____

맞힌 개수	나의 학습 결과에 ○표 하세요.				QR 빠른 정답 확인
개 /21개	맞힌 개수	0~2개	3~7개	8~19개	20~21개	
	학습 방법	다시 한번 풀어 봐요.	계산 연습이 필요해요.	틀린 문제를 확인해요.	실수하지 않도록 집중해요.	

3. 몫이 1보다 큰 (자연수)÷(자연수)

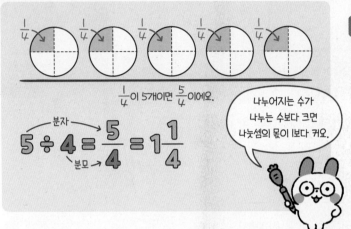

$\frac{1}{4}$이 5개이면 $\frac{5}{4}$이에요.

나누어지는 수가
나누는 수보다 크면
나눗셈의 몫이 1보다 커요.

분자 → $5 \div 4 = \dfrac{5}{4} = 1\dfrac{1}{4}$ ← 분모

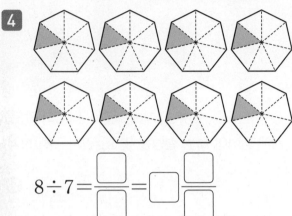

$8 \div 7 = \dfrac{\square}{\square} = \square\dfrac{\square}{\square}$

🥕 그림을 보고 ⬜ 안에 알맞은 수를 써넣으세요.

1

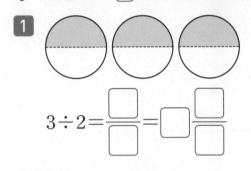

$3 \div 2 = \dfrac{\square}{\square} = \square\dfrac{\square}{\square}$

5

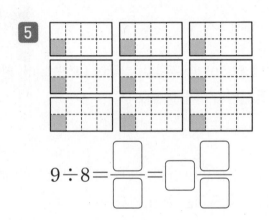

$9 \div 8 = \dfrac{\square}{\square} = \square\dfrac{\square}{\square}$

2

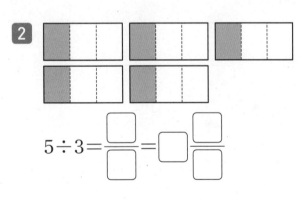

$5 \div 3 = \dfrac{\square}{\square} = \square\dfrac{\square}{\square}$

6

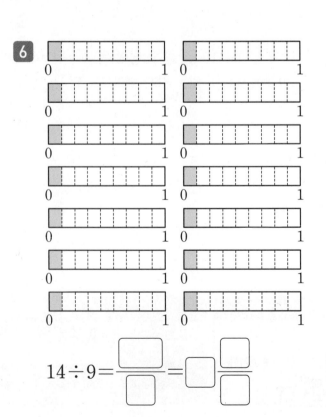

$14 \div 9 = \dfrac{\square}{\square} = \square\dfrac{\square}{\square}$

3

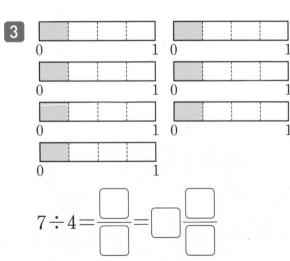

$7 \div 4 = \dfrac{\square}{\square} = \square\dfrac{\square}{\square}$

나눗셈의 몫을 기약분수로 나타내어 보세요.

7 $4 \div 3$

8 $6 \div 5$

9 $8 \div 3$

10 $9 \div 2$

11 $10 \div 4$

12 $11 \div 6$

13 $12 \div 7$

14 $15 \div 13$

15 $16 \div 5$

16 $17 \div 10$

17 $20 \div 14$

18 $20 \div 19$

19 $21 \div 10$

20 $23 \div 12$

21 $24 \div 19$

22 $26 \div 8$

23 $28 \div 20$

24 $29 \div 5$

25 $29 \div 13$

26 $30 \div 16$

27 $31 \div 25$

28 $34 \div 16$

29 $35 \div 6$

30 $37 \div 20$

맞힌 개수	나의 학습 결과에 ○표 하세요.			
	맞힌 개수	0~3개	4~11개	12~27개	28~30개
개 /30개	학습 방법	다시 한번 풀어 봐요.	계산 연습이 필요해요.	틀린 문제를 확인해요.	실수하지 않도록 집중해요.

QR 빠른 정답 확인

3. 몫이 1보다 큰 (자연수)÷(자연수)

🥕 그림을 보고 ☐ 안에 알맞은 수를 써넣으세요.

1

▲÷■에서 ▲ > ■이면
몫이 1보다 커요.

$7 \div 3 = \dfrac{\square}{\square} = \square \dfrac{\square}{\square}$

2

$7 \div 6 = \dfrac{\square}{\square} = \square \dfrac{\square}{\square}$

3

$8 \div 5 = \dfrac{\square}{\square} = \square \dfrac{\square}{\square}$

4

$11 \div 2 = \dfrac{\square}{\square} = \square \dfrac{\square}{\square}$

🥕 나눗셈의 몫을 기약분수로 나타내어 보세요.

5 $5 \div 2$

6 $9 \div 6$

7 $13 \div 9$

8 $14 \div 12$

9 $19 \div 5$

10 $22 \div 18$

11 $27 \div 25$

12 $32 \div 9$

13 $33 \div 21$

14 $36 \div 28$

연산 in 문장제

사과 9개를 4명이 똑같이 나누어 먹으려고 합니다. 한 명이 먹을 수 있는 사과는 몇 개인지 구해 보세요.

$$9 \div 4 = \frac{9}{4}$$

$$9 \div 4 = \frac{9}{4}\left(=2\frac{1}{4}\right) \text{(개)}$$

사과 수   사람 수
한 명이 먹을 수 있는 사과 수

15 포장 끈 7 m를 5도막으로 똑같이 잘라 선물 상자 5개를 각각 묶었습니다. 선물 상자 한 개를 묶는 데 사용한 포장 끈의 길이는 몇 m인지 구해 보세요.

→ ☐ ÷ ☐ = ☐

답 _____

16 색종이 11장을 친구 5명이 똑같이 나누어 가졌습니다. 한 명이 가진 색종이는 몇 장인지 구해 보세요.

→ ☐ ÷ ☐ = ☐

답 _____

17 설탕 13 kg을 그릇 6개에 똑같이 나누어 담았습니다. 그릇 한 개에 담은 설탕은 몇 kg인지 구해 보세요.

→ ☐ ÷ ☐ = ☐

답 _____

18 딸기 15 kg을 바구니 2개에 똑같이 나누어 담으려고 합니다. 바구니 한 개에 담아야 하는 딸기의 무게는 몇 kg인지 구해 보세요.

→ ☐ ÷ ☐ = ☐

답 _____

19 간장 17 L를 병 8개에 똑같이 나누어 담으려고 합니다. 병 한 개에 담아야 하는 간장은 몇 L인지 구해 보세요.

→ ☐ ÷ ☐ = ☐

답 _____

20 텃밭 20 m^2를 3등분하여 상추, 깻잎, 시금치를 각각 심으려고 합니다. 상추를 심어야 하는 텃밭의 넓이는 몇 m^2인지 구해 보세요.

→ ☐ ÷ ☐ = ☐

답 _____

맞힌 개수	나의 학습 결과에 ○표 하세요.			
	맞힌 개수	0~2개	3~6개	7~18개	19~20개
개 /20개	학습 방법	다시 한번 풀어 봐요.	계산 연습이 필요해요.	틀린 문제를 확인해요.	실수하지 않도록 집중해요.

QR 빠른 정답 확인

07 일차

4. 분자가 자연수의 배수인 (분수)÷(자연수)

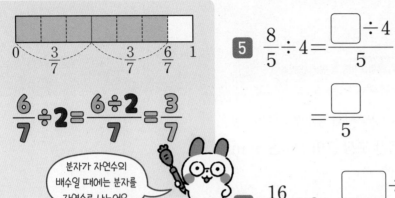

$$\frac{6}{7} \div 2 = \frac{6 \div 2}{7} = \frac{3}{7}$$

분자가 자연수의 배수일 때에는 분자를 자연수로 나누어요.

🥕 ☐ 안에 알맞은 수를 써넣으세요.

1 $\dfrac{2}{3} \div 2 = \dfrac{\boxed{} \div 2}{3}$

$= \dfrac{\boxed{}}{3}$

2 $\dfrac{3}{4} \div 3 = \dfrac{\boxed{} \div 3}{4}$

$= \dfrac{\boxed{}}{4}$

3 $\dfrac{5}{7} \div 5 = \dfrac{\boxed{} \div 5}{7}$

$= \dfrac{\boxed{}}{7}$

4 $\dfrac{9}{10} \div 3 = \dfrac{\boxed{} \div 3}{10}$

$= \dfrac{\boxed{}}{10}$

5 $\dfrac{8}{5} \div 4 = \dfrac{\boxed{} \div 4}{5}$

$= \dfrac{\boxed{}}{5}$

6 $\dfrac{16}{7} \div 8 = \dfrac{\boxed{} \div 8}{7}$

$= \dfrac{\boxed{}}{7}$

7 $\dfrac{45}{11} \div 9 = \dfrac{\boxed{} \div 9}{11}$

$= \dfrac{\boxed{}}{11}$

8 $\dfrac{36}{13} \div 12$

$= \dfrac{\boxed{} \div 12}{13}$

$= \dfrac{\boxed{}}{13}$

9 $\dfrac{30}{19} \div 10$

$= \dfrac{\boxed{} \div 10}{19}$

$= \dfrac{\boxed{}}{19}$

🥕 나눗셈의 몫을 기약분수로 나타내어 보세요.

10 $\dfrac{4}{5} \div 2$

11 $\dfrac{12}{13} \div 4$

12 $\dfrac{14}{19} \div 7$

13 $\dfrac{15}{22} \div 5$

14 $\dfrac{21}{25} \div 7$

15 $\dfrac{27}{28} \div 9$

16 $\dfrac{24}{29} \div 12$

17 $\dfrac{30}{31} \div 6$

24 $\dfrac{27}{2} \div 3$

31 $\dfrac{55}{24} \div 11$

18 $\dfrac{18}{35} \div 9$

25 $\dfrac{35}{6} \div 5$

32 $\dfrac{32}{27} \div 4$

19 $\dfrac{40}{43} \div 20$

26 $\dfrac{25}{7} \div 5$

33 $\dfrac{91}{36} \div 13$

20 $\dfrac{45}{46} \div 15$

27 $\dfrac{35}{11} \div 7$

34 $\dfrac{50}{39} \div 10$

21 $\dfrac{22}{47} \div 2$

28 $\dfrac{48}{19} \div 12$

35 $\dfrac{51}{40} \div 3$

22 $\dfrac{16}{49} \div 4$

29 $\dfrac{63}{20} \div 3$

36 $\dfrac{64}{45} \div 8$

23 $\dfrac{32}{55} \div 16$

30 $\dfrac{40}{21} \div 8$

37 $\dfrac{63}{56} \div 21$

맞힌 개수	나의 학습 결과에 ○표 하세요.				QR 빠른정답 확인
	맞힌 개수	0~4개	5~15개	16~33개	34~37개	
개 /37개	학습 방법	다시 한번 풀어 봐요.	계산 연습이 필요해요.	틀린 문제를 확인해요.	실수하지 않도록 집중해요.	

4. 분자가 자연수의 배수인 (분수)÷(자연수)

🥕 나눗셈의 몫을 기약분수로 나타내어 보세요.

1 $\dfrac{8}{9} \div 2$

2 $\dfrac{12}{13} \div 12$

3 $\dfrac{12}{17} \div 6$

4 $\dfrac{18}{23} \div 3$

5 $\dfrac{10}{27} \div 5$

6 $\dfrac{26}{37} \div 13$

7 $\dfrac{42}{47} \div 7$

8 $\dfrac{40}{53} \div 5$

9 $\dfrac{39}{55} \div 13$

10 $\dfrac{50}{61} \div 25$

11 $\dfrac{33}{2} \div 3$

12 $\dfrac{20}{3} \div 5$

13 $\dfrac{21}{4} \div 3$

14 $\dfrac{6}{5} \div 3$

15 $\dfrac{42}{5} \div 6$

16 $\dfrac{24}{7} \div 6$

17 $\dfrac{56}{15} \div 4$

18 $\dfrac{65}{21} \div 13$

19 $\dfrac{48}{37} \div 16$

20 $\dfrac{63}{58} \div 9$

21 $\dfrac{72}{65} \div 18$

연산 in 문장제

똑같은 책 2권의 무게는 $\dfrac{12}{13}$ kg입니다. 책 한 권의 무게는 몇 kg인지 구해 보세요.

$$\underbrace{\dfrac{12}{13}}_{\text{책 2권의 무게}} \div \underset{\text{책 수}}{2} = \dfrac{12 \div 2}{13} = \underbrace{\dfrac{6}{13}}_{\text{책 한 권의 무게}} (\text{kg})$$

22 주스 $\dfrac{6}{7}$ L를 6명이 똑같이 나누어 마셨습니다. 한 사람이 마신 주스는 몇 L인지 구해 보세요.

답 _____

23 사료 $\dfrac{18}{23}$ kg을 강아지 6마리에게 똑같이 나누어 주었습니다. 강아지 한 마리에게 준 사료는 몇 kg인지 구해 보세요.

답 _____

24 철사 $\dfrac{20}{27}$ m를 4도막으로 똑같이 잘라 도형 4개를 각각 만들었습니다. 도형 한 개를 만드는 데 사용한 철사의 길이는 몇 m인지 구해 보세요.

답 _____

25 밀가루 $\dfrac{24}{17}$ kg을 그릇 8개에 똑같이 나누어 담았습니다. 그릇 한 개에 담은 밀가루는 몇 kg인지 구해 보세요.

답 _____

26 물 $\dfrac{40}{29}$ L를 컵 10개에 똑같이 나누어 담았습니다. 컵 한 개에 담은 물은 몇 L인지 구해 보세요.

답 _____

맞힌 개수	나의 학습 결과에 ○표 하세요.				QR 빠른정답 확인
	맞힌 개수	0~3개	4~9개	10~23개	24~26개	
개 /26개	학습 방법	다시 한번 풀어 봐요.	계산 연습이 필요해요.	틀린 문제를 확인해요.	실수하지 않도록 집중해요.	

5. 분자가 자연수의 배수가 아닌 (분수)÷(자연수)

분자 1을 자연수 2의 배수가 되도록 바꿔요.

$$\frac{1}{3} \div 2 = \frac{1 \times 2}{3 \times 2} \div 2$$

$$= \frac{2}{6} \div 2$$

$$= \frac{2 \div 2}{6} = \frac{1}{6}$$

분자가 자연수의 배수가 아닐 때에는 크기가 같은 분수 중에서 분자가 자연수의 배수인 수로 바꾸어 계산해요.

🥕 나눗셈의 몫을 기약분수로 나타내어 보세요.

$\frac{\blacktriangle}{\bullet} \div \blacksquare$에서 ▲가 ■의 배수가 아닐 때 ▲와 ■의 최소공배수를 구해요.

5 $\dfrac{1}{3} \div 4$

6 $\dfrac{2}{5} \div 3$

7 $\dfrac{7}{8} \div 2$

🥕 ☐ 안에 알맞은 수를 써넣으세요.

1 $\dfrac{2}{3} \div 8 = \dfrac{2 \times \boxed{}}{3 \times \boxed{}} \div 8 = \dfrac{\boxed{}}{12} \div 8$

$\qquad = \dfrac{\boxed{} \div 8}{12} = \dfrac{\boxed{}}{12}$

2 $\dfrac{1}{4} \div 3 = \dfrac{1 \times \boxed{}}{4 \times \boxed{}} \div 3 = \dfrac{\boxed{}}{12} \div 3$

$\qquad = \dfrac{\boxed{} \div 3}{12} = \dfrac{\boxed{}}{12}$

3 $\dfrac{7}{5} \div 4 = \dfrac{7 \times \boxed{}}{5 \times \boxed{}} \div 4 = \dfrac{\boxed{}}{20} \div 4$

$\qquad = \dfrac{\boxed{} \div 4}{20} = \dfrac{\boxed{}}{20}$

4 $\dfrac{9}{8} \div 6 = \dfrac{9 \times \boxed{}}{8 \times \boxed{}} \div 6 = \dfrac{\boxed{}}{16} \div 6$

$\qquad = \dfrac{\boxed{} \div 6}{16} = \dfrac{\boxed{}}{16}$

8 $\dfrac{5}{12} \div 6$

9 $\dfrac{11}{15} \div 3$

10 $\dfrac{14}{17} \div 5$

11 $\dfrac{13}{18} \div 7$

12 $\dfrac{17}{20} \div 2$

13 $\dfrac{9}{10} \div 21$

20 $\dfrac{4}{3} \div 7$

27 $\dfrac{9}{2} \div 12$

14 $\dfrac{10}{11} \div 4$

21 $\dfrac{13}{5} \div 2$

28 $\dfrac{21}{4} \div 15$

15 $\dfrac{16}{19} \div 12$

22 $\dfrac{11}{9} \div 6$

29 $\dfrac{22}{7} \div 33$

16 $\dfrac{10}{21} \div 15$

23 $\dfrac{20}{11} \div 3$

30 $\dfrac{15}{14} \div 18$

17 $\dfrac{12}{23} \div 10$

24 $\dfrac{33}{16} \div 5$

31 $\dfrac{20}{17} \div 8$

18 $\dfrac{12}{25} \div 24$

25 $\dfrac{19}{18} \div 3$

32 $\dfrac{25}{23} \div 15$

19 $\dfrac{8}{29} \div 6$

26 $\dfrac{27}{25} \div 4$

33 $\dfrac{56}{37} \div 16$

맞힌 개수	나의 학습 결과에 ○표 하세요.				QR 빠른정답 확인
개 /33개	맞힌 개수	0~3개	4~13개	14~30개	31~33개
	학습 방법	다시 한번 풀어 봐요.	계산 연습이 필요해요.	틀린 문제를 확인해요.	실수하지 않도록 집중해요.

10일차

5. 분자가 자연수의 배수가 아닌 (분수)÷(자연수)

🥕 나눗셈의 몫을 기약분수로 나타내어 보세요.

1 $\dfrac{1}{4} \div 5$

2 $\dfrac{3}{4} \div 9$

3 $\dfrac{2}{5} \div 14$

4 $\dfrac{4}{7} \div 6$

5 $\dfrac{3}{8} \div 7$

6 $\dfrac{5}{9} \div 10$

7 $\dfrac{7}{9} \div 6$

8 $\dfrac{8}{11} \div 12$

9 $\dfrac{11}{12} \div 22$

10 $\dfrac{13}{14} \div 4$

11 $\dfrac{14}{23} \div 8$

12 $\dfrac{9}{2} \div 7$

13 $\dfrac{7}{3} \div 5$

14 $\dfrac{10}{3} \div 20$

15 $\dfrac{35}{6} \div 14$

16 $\dfrac{9}{8} \div 18$

17 $\dfrac{14}{9} \div 3$

18 $\dfrac{12}{11} \div 18$

19 $\dfrac{16}{15} \div 24$

20 $\dfrac{23}{18} \div 2$

21 $\dfrac{21}{20} \div 14$

연산 in 문장제

물 $\dfrac{2}{3}$ L를 화분 4개에 똑같이 나누어 주려고 합니다. 화분 한 개에 주어야 하는 물의 양은 몇 L인지 구해 보세요.

분자	자연수	최소공배수
2	4	4

분자를 자연수의 배수로 나타내요.

$$\underset{\substack{\uparrow\\ \text{물의 양}}}{\dfrac{2}{3}} \div \underset{\substack{\uparrow\\ \text{화분 수}}}{4} = \dfrac{2\times 2}{3\times 2} \div 4 = \dfrac{4}{6} \div 4 = \underset{\substack{\uparrow\\ \text{화분 한 개에 주어야 하는 물의 양}}}{\dfrac{4\div 4}{6}} = \dfrac{1}{6}\ (\text{L})$$

---

22 식혜 $\dfrac{4}{5}$ L를 8명이 똑같이 나누어 마시려고 합니다. 한 명이 마실 수 있는 식혜는 몇 L인지 구해 보세요.

→

분자	자연수	최소공배수

답 _____

23 철사 $\dfrac{5}{8}$ m를 겹치는 부분 없이 모두 사용하여 정사각형 모양을 만들었습니다. 정사각형의 한 변의 길이는 몇 m인지 구해 보세요.

→

분자	자연수	최소공배수

답 _____

24 모래 $\dfrac{14}{15}$ kg으로 무게가 같은 모래주머니 6개를 만들려고 합니다. 모래주머니 한 개를 만드는 데 사용되는 모래는 몇 kg인지 구해 보세요.

→

분자	자연수	최소공배수

답 _____

25 공예 끈 $\dfrac{13}{6}$ m를 모두 사용하여 길이가 같은 팔찌 3개를 만들려고 합니다. 팔찌 한 개를 만드는 데 사용되는 공예 끈의 길이는 몇 m인지 구해 보세요.

→

분자	자연수	최소공배수

답 _____

26 무게가 같은 구슬 8개의 무게는 $\dfrac{12}{11}$ kg입니다. 구슬 한 개의 무게는 몇 kg인지 구해 보세요.

→

분자	자연수	최소공배수

답 _____

맞힌 개수				
개 /26개				

나의 학습 결과에 ○표 하세요.

맞힌 개수	0~3개	4~9개	10~23개	24~26개
학습 방법	다시 한번 풀어 봐요.	계산 연습이 필요해요.	틀린 문제를 확인해요.	실수하지 않도록 집중해요.

QR 빠른정답 확인

11일차 6. (대분수)÷(자연수) (1)

$$1\frac{1}{5} \div 9$$

$$= \frac{6}{5} \div 9 = \frac{6 \times 3}{5 \times 3} \div 9$$

$$= \frac{18}{15} \div 9 = \frac{18 \div 9}{15}$$

$$= \frac{2}{15}$$

(대분수)÷(자연수)의 계산은
대분수를 가분수로 바꾸어
(가분수)÷(자연수)와 같은
방법으로 계산해요.

🥕 ☐ 안에 알맞은 수를 써넣으세요.

1 $4\frac{1}{2} \div 3$

$$= \frac{\boxed{}}{2} \div 3 = \frac{\boxed{} \div \boxed{}}{2}$$

$$= \frac{\boxed{}}{\boxed{}} = \frac{\boxed{}}{\boxed{}}$$

2 $2\frac{13}{16} \div 15$

$$= \frac{\boxed{}}{16} \div 15$$

$$= \frac{\boxed{} \div \boxed{}}{16}$$

$$= \frac{\boxed{}}{\boxed{}}$$

3 $1\frac{3}{4} \div 14$

$$= \frac{\boxed{}}{4} \div 14$$

$$= \frac{\boxed{} \times 2}{4 \times 2} \div 14$$

$$= \frac{\boxed{}}{8} \div 14$$

$$= \frac{\boxed{} \div \boxed{}}{8}$$

$$= \frac{\boxed{}}{\boxed{}}$$

크기가 같은 분수 중
분자가 자연수의 배수인
분수로 바꾸어요.

4 $2\frac{5}{19} \div 3$

$$= \frac{\boxed{}}{19} \div 3$$

$$= \frac{\boxed{} \times 3}{19 \times 3} \div 3$$

$$= \frac{\boxed{}}{57} \div 3$$

$$= \frac{\boxed{} \div \boxed{}}{57}$$

$$= \frac{\boxed{}}{\boxed{}}$$

🥕 나눗셈의 몫을 기약분수로 나타내어 보세요.

5 $7\frac{1}{2} \div 3$

6 $1\frac{2}{3} \div 5$

7 $2\frac{1}{3} \div 7$

8 $7\frac{4}{5} \div 13$

9 $6\frac{3}{7} \div 9$

10 $2\frac{2}{9} \div 4$

11 $8\frac{1}{10} \div 27$

12 $2\dfrac{8}{11} \div 6$

13 $5\dfrac{11}{17} \div 24$

14 $1\dfrac{17}{18} \div 7$

15 $1\dfrac{7}{20} \div 9$

16 $1\dfrac{19}{21} \div 20$

17 $3\dfrac{9}{22} \div 25$

18 $1\dfrac{13}{27} \div 8$

19 $5\dfrac{1}{2} \div 5$

20 $4\dfrac{1}{3} \div 2$

21 $5\dfrac{2}{3} \div 7$

22 $1\dfrac{5}{6} \div 3$

23 $3\dfrac{1}{6} \div 3$

24 $1\dfrac{2}{7} \div 4$

25 $3\dfrac{2}{11} \div 2$

26 $2\dfrac{1}{4} \div 15$

27 $3\dfrac{8}{9} \div 30$

28 $6\dfrac{3}{10} \div 18$

29 $4\dfrac{4}{13} \div 24$

30 $1\dfrac{13}{15} \div 35$

31 $3\dfrac{9}{17} \div 25$

32 $1\dfrac{4}{21} \div 10$

맞힌 개수		나의 학습 결과에 ○표 하세요.			
	맞힌 개수	0~3개	4~12개	13~29개	30~32개
개 /32개	학습 방법	다시 한번 풀어 봐요.	계산 연습이 필요해요.	틀린 문제를 확인해요.	실수하지 않도록 집중해요.

QR 빠른정답 확인

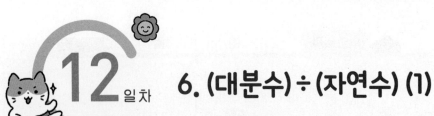

12일차 6. (대분수)÷(자연수) (1)

🥕 나눗셈의 몫을 기약분수로 나타내어 보세요.

1 $8\dfrac{1}{2} \div 17$

2 $13\dfrac{1}{3} \div 5$

3 $2\dfrac{2}{5} \div 12$

4 $12\dfrac{5}{6} \div 11$

5 $6\dfrac{2}{9} \div 8$

6 $5\dfrac{8}{11} \div 3$

7 $3\dfrac{3}{22} \div 23$

8 $3\dfrac{2}{5} \div 5$

9 $1\dfrac{7}{8} \div 4$

10 $1\dfrac{2}{11} \div 7$

11 $2\dfrac{3}{14} \div 3$

12 $1\dfrac{2}{17} \div 8$

13 $2\dfrac{13}{18} \div 2$

14 $2\dfrac{3}{25} \div 13$

15 $1\dfrac{1}{3} \div 6$

16 $9\dfrac{3}{4} \div 26$

17 $1\dfrac{5}{7} \div 16$

18 $4\dfrac{4}{7} \div 6$

19 $2\dfrac{5}{8} \div 49$

20 $3\dfrac{11}{15} \div 18$

21 $2\dfrac{7}{29} \div 39$

연산 in 문장제

고구마 $9\frac{1}{2}$ kg을 바구니 19개에 똑같이 나누어 담으려고 합니다. 바구니 한 개에 담아야 하는 고구마의 무게는 몇 kg인지 구해 보세요.

$$9\frac{1}{2} \div 19 = \frac{19}{2} \div 19 = \frac{19 \div 19}{2} = \frac{1}{2}\,(\text{kg})$$

고구마의 무게　　바구니 수　　　　　　　　　　　바구니 한 개에 담아야 하는 고구마의 무게

22 미희는 우유 $6\frac{1}{4}$ L를 15일 동안 똑같이 나누어 마시려고 합니다. 하루에 마실 수 있는 우유는 몇 L인지 구해 보세요.

답 _____

23 매듭실 $4\frac{1}{6}$ m를 반으로 잘라 길이가 같은 팔찌 매듭 2개를 만들었습니다. 팔찌 매듭 1개를 만드는 데 사용한 매듭실의 길이는 몇 m인지 구해 보세요.

답 _____

24 밤 $3\frac{3}{7}$ kg을 바구니 3개에 똑같이 나누어 담으려고 합니다. 바구니 한 개에 담아야 하는 밤의 무게는 몇 kg인지 구해 보세요.

답 _____

25 영훈이는 같은 빠르기로 자전거를 타고 3분 동안 $2\frac{12}{13}$ km를 이동했습니다. 영훈이가 1분 동안 이동한 거리는 몇 km인지 구해 보세요.

답 _____

26 과학 실험에서 사용하기 위해 물 $2\frac{11}{19}$ L를 학생 21명에게 똑같이 나누어 주려고 합니다. 학생 한 명에게 나누어 주어야 하는 물은 몇 L인지 구해 보세요.

답 _____

맞힌 개수	나의 학습 결과에 ○표 하세요.				QR 빠른정답 확인
	맞힌 개수	0~3개	4~9개	10~23개	24~26개
개 / 26개	학습 방법	다시 한번 풀어 봐요.	계산 연습이 필요해요.	틀린 문제를 확인해요.	실수하지 않도록 집중해요.

🥕 나눗셈의 몫을 기약분수로 나타내어 보세요.

1 $1 \div 24$

2 $1 \div 38$

3 $3 \div 7$

4 $9 \div 27$

5 $15 \div 4$

6 $26 \div 10$

7 $38 \div 17$

8 $\dfrac{3}{5} \div 3$

9 $\dfrac{9}{11} \div 3$

10 $\dfrac{10}{13} \div 2$

11 $\dfrac{12}{17} \div 3$

12 $\dfrac{18}{23} \div 18$

13 $\dfrac{16}{27} \div 4$

14 $\dfrac{36}{61} \div 6$

15 $\dfrac{8}{5} \div 8$

16 $\dfrac{49}{12} \div 7$

17 $\dfrac{20}{19} \div 10$

18 $\dfrac{52}{21} \div 13$

19 $\dfrac{26}{23} \div 2$

20 $\dfrac{51}{26} \div 17$

21 $\dfrac{72}{35} \div 36$

22 $\dfrac{5}{6} \div 3$

23 $\dfrac{6}{7} \div 8$

24 $\dfrac{11}{14} \div 2$

25 $\dfrac{2}{15} \div 9$

26 $\dfrac{16}{25} \div 14$

27 $\dfrac{4}{27} \div 5$

28 $\dfrac{20}{29} \div 16$

29 $\dfrac{25}{42} \div 10$

30 $\dfrac{9}{2} \div 4$

31 $\dfrac{11}{9} \div 4$

32 $\dfrac{15}{13} \div 10$

33 $\dfrac{27}{16} \div 12$

34 $\dfrac{77}{20} \div 44$

35 $\dfrac{35}{24} \div 6$

36 $\dfrac{50}{27} \div 30$

37 $\dfrac{72}{31} \div 16$

38 $7\dfrac{1}{5} \div 36$

39 $2\dfrac{6}{7} \div 10$

40 $3\dfrac{4}{15} \div 7$

41 $3\dfrac{3}{20} \div 9$

42 $3\dfrac{1}{2} \div 2$

43 $1\dfrac{2}{3} \div 4$

44 $4\dfrac{3}{8} \div 14$

45 $6\dfrac{2}{13} \div 32$

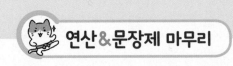
46 사과 7개를 8명이 똑같이 나누어 먹으려고 합니다. 한 명이 먹을 수 있는 사과는 몇 개인지 구해 보세요.

답 _____

47 똑같은 빵 8개를 만드는 데 밀가루 $\frac{16}{17}$ kg을 사용하였습니다. 빵 한 개를 만드는 데 사용한 밀가루는 몇 kg인지 구해 보세요.

답 _____

48 물 $\frac{28}{9}$ L를 그릇 7개에 똑같이 나누어 담으려고 합니다. 그릇 한 개에 담아야 하는 물은 몇 L인지 구해 보세요.

답 _____

49 길이가 $\frac{3}{17}$ m인 끈을 5도막으로 똑같이 나누었습니다. 끈 한 도막의 길이는 몇 m인지 구해 보세요.

답 _____

50 식혜 $\frac{46}{19}$ L를 12명이 똑같이 나누어 마시려고 합니다. 한 명이 마실 수 있는 식혜는 몇 L인지 구해 보세요.

답 _____

51 똑같은 양이 들어 있는 페인트 3통을 사용하여 넓이가 $5\frac{2}{5}$ m²인 벽면에 모두 칠하였습니다. 페인트 한 통으로 칠한 벽면의 넓이는 몇 m²인지 구해 보세요.

답 _____

52 찰흙 $4\frac{1}{2}$ kg을 똑같이 나누어 자동차 모형 4개를 만들었습니다. 자동차 모형 한 개를 만드는 데 사용한 찰흙의 무게는 몇 kg인지 구해 보세요.

답 _____

연산 노트

맞힌 개수	나의 학습 결과에 ○표 하세요.			
	맞힌 개수	0~5개	6~21개	22~47개	48~52개
개 /52개	학습 방법	다시 한번 풀어 봐요.	계산 연습이 필요해요.	틀린 문제를 확인해요.	실수하지 않도록 집중해요.

QR 빠른정답 확인

2

분수의 나눗셈 (2)

1. (진분수) ÷ (자연수)

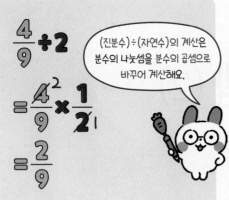

$\dfrac{4}{9} \div 2$

(진분수)÷(자연수)의 계산은 분수의 나눗셈을 분수의 곱셈으로 바꾸어 계산해요.

$= \dfrac{\overset{2}{\cancel{4}}}{9} \times \dfrac{1}{\underset{1}{\cancel{2}}}$

$= \dfrac{2}{9}$

🥕 나눗셈의 몫을 기약분수로 나타내어 보세요.

4 $\dfrac{2}{3} \div 5$

11 $\dfrac{2}{5} \div 10$

5 $\dfrac{1}{4} \div 9$

12 $\dfrac{6}{7} \div 2$

🥕 ☐ 안에 알맞은 수를 써넣으세요.

1 $\dfrac{1}{3} \div 6 = \dfrac{1}{3} \times \dfrac{1}{\boxed{}}$

$= \dfrac{\boxed{}}{\boxed{}}$

6 $\dfrac{5}{9} \div 2$

13 $\dfrac{8}{9} \div 8$

7 $\dfrac{11}{12} \div 2$

14 $\dfrac{3}{11} \div 12$

2 $\dfrac{5}{6} \div 15 = \dfrac{5}{6} \times \dfrac{1}{\boxed{}}$

$= \dfrac{1}{\boxed{}}$

8 $\dfrac{13}{14} \div 5$

15 $\dfrac{7}{12} \div 21$

9 $\dfrac{11}{16} \div 5$

16 $\dfrac{16}{17} \div 4$

3 $\dfrac{4}{5} \div 10 = \dfrac{4}{5} \times \dfrac{1}{\boxed{}}$

$= \dfrac{2}{\boxed{}}$

10 $\dfrac{17}{24} \div 4$

17 $\dfrac{3}{20} \div 15$

18 $\dfrac{10}{21} \div 5$

19 $\dfrac{9}{22} \div 3$

20 $\dfrac{13}{24} \div 26$

21 $\dfrac{2}{27} \div 6$

22 $\dfrac{20}{27} \div 10$

23 $\dfrac{13}{30} \div 39$

24 $\dfrac{33}{35} \div 11$

25 $\dfrac{8}{13} \div 10$

26 $\dfrac{10}{13} \div 35$

27 $\dfrac{9}{14} \div 6$

28 $\dfrac{8}{15} \div 14$

29 $\dfrac{9}{16} \div 15$

30 $\dfrac{15}{17} \div 6$

31 $\dfrac{14}{19} \div 21$

32 $\dfrac{18}{19} \div 45$

33 $\dfrac{8}{21} \div 12$

34 $\dfrac{18}{23} \div 15$

35 $\dfrac{20}{23} \div 30$

36 $\dfrac{18}{25} \div 12$

37 $\dfrac{25}{26} \div 35$

38 $\dfrac{34}{35} \div 51$

맞힌 개수	나의 학습 결과에 ○표 하세요.				QR 빠른 정답 확인
	맞힌 개수	0~4개	5~15개	16~34개	35~38개	
개 /38개	학습 방법	다시 한번 풀어 봐요.	계산 연습이 필요해요.	틀린 문제를 확인해요.	실수하지 않도록 집중해요.	

02일차 1. (진분수)÷(자연수)

🥕 나눗셈의 몫을 기약분수로 나타내어 보세요.

1 $\dfrac{1}{2} \div 8$

÷▲를 ×$\dfrac{1}{▲}$로 바꾸어 계산해요.

8 $\dfrac{2}{3} \div 12$

15 $\dfrac{9}{10} \div 21$

2 $\dfrac{2}{7} \div 7$

9 $\dfrac{2}{9} \div 2$

16 $\dfrac{6}{11} \div 8$

3 $\dfrac{5}{8} \div 9$

10 $\dfrac{7}{13} \div 28$

17 $\dfrac{21}{23} \div 14$

4 $\dfrac{5}{14} \div 3$

11 $\dfrac{14}{17} \div 2$

18 $\dfrac{25}{27} \div 15$

5 $\dfrac{7}{16} \div 4$

12 $\dfrac{15}{19} \div 5$

19 $\dfrac{30}{31} \div 40$

6 $\dfrac{19}{20} \div 3$

13 $\dfrac{9}{20} \div 27$

20 $\dfrac{32}{35} \div 80$

7 $\dfrac{13}{22} \div 2$

14 $\dfrac{5}{24} \div 20$

21 $\dfrac{30}{49} \div 12$

연산 in 문장제

방울토마토 $\frac{14}{15}$ kg을 바구니 8개에 똑같이 나누어 담으려고 합니다. 바구니 한 개에 담아야 하는 방울 토마토의 무게는 몇 kg인지 구해 보세요.

$$\underset{\text{방울토마토의 무게}}{\frac{14}{15}} \div \underset{\text{바구니 수}}{8} = \overset{7}{\frac{\cancel{14}}{15}} \times \frac{1}{\underset{4}{\cancel{8}}} = \underset{\substack{\text{바구니 한 개에 담아야 하는}\\\text{방울토마토의 무게}}}{\frac{7}{60}} \, (\text{kg})$$

22 식혜 $\frac{10}{11}$ L를 2명이 똑같이 나누어 마시려고 합니다. 한 명이 마실 수 있는 식혜는 몇 L인지 구해 보세요.

답 _____

23 똑같은 빵 7개를 만드는 데 필요한 설탕의 양은 $\frac{5}{13}$ kg입니다. 빵 한 개를 만드는 데 필요한 설탕은 몇 kg인지 구해 보세요.

답 _____

24 저울 위에 무게가 같은 자두 12개를 올려놓았더니 무게가 $\frac{24}{25}$ kg이었습니다. 자두 한 개의 무게는 몇 kg인지 구해 보세요.

답 _____

25 탄산 음료 $\frac{12}{13}$ L를 컵 8개에 똑같이 나누어 담으려고 합니다. 컵 한 개에 담아야 하는 탄산 음료는 몇 L인지 구해 보세요.

답 _____

26 우유 $\frac{21}{22}$ L를 9일 동안 똑같이 나누어 마시려고 합니다. 하루에 마실 수 있는 우유는 몇 L인지 구해 보세요.

답 _____

맞힌 개수	나의 학습 결과에 ○표 하세요.				QR 빠른 정답 확인
	맞힌 개수	0~3개	4~9개	10~23개	24~26개	
개 /26개	학습 방법	다시 한번 풀어 봐요.	계산 연습이 필요해요.	틀린 문제를 확인해요.	실수하지 않도록 집중해요.	

2. (가분수) ÷ (자연수)

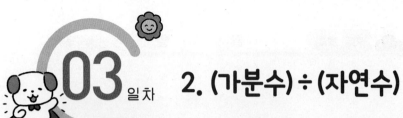

$$\frac{12}{5} \div 10$$

(가분수)÷(자연수)의 계산은 분수의 나눗셈을 분수의 곱셈으로 바꾸어 계산해요.

$$= \frac{\overset{6}{12}}{5} \times \frac{1}{\underset{5}{10}}$$

$$= \frac{6}{25}$$

🥕 나눗셈의 몫을 기약분수로 나타내어 보세요.

4 $\dfrac{19}{2} \div 4$

11 $\dfrac{24}{5} \div 48$

5 $\dfrac{7}{3} \div 15$

12 $\dfrac{15}{7} \div 30$

🥕 ☐ 안에 알맞은 수를 써넣으세요.

1 $\dfrac{8}{3} \div 5 = \dfrac{8}{3} \times \dfrac{1}{\boxed{}}$

$$= \dfrac{\boxed{}}{\boxed{}}$$

6 $\dfrac{7}{6} \div 8$

13 $\dfrac{11}{9} \div 33$

7 $\dfrac{10}{9} \div 3$

14 $\dfrac{21}{10} \div 3$

2 $\dfrac{13}{4} \div 13 = \dfrac{13}{4} \times \dfrac{1}{\boxed{}}$

$$= \dfrac{1}{\boxed{}}$$

8 $\dfrac{26}{11} \div 5$

15 $\dfrac{22}{17} \div 44$

9 $\dfrac{30}{17} \div 7$

16 $\dfrac{23}{18} \div 23$

3 $\dfrac{16}{5} \div 10 = \dfrac{16}{5} \times \dfrac{1}{\boxed{}}$

$$= \dfrac{8}{\boxed{}}$$

10 $\dfrac{33}{25} \div 2$

17 $\dfrac{35}{19} \div 7$

18 $\dfrac{40}{21} \div 20$

19 $\dfrac{30}{23} \div 90$

20 $\dfrac{76}{25} \div 4$

21 $\dfrac{87}{26} \div 29$

22 $\dfrac{50}{27} \div 25$

23 $\dfrac{45}{31} \div 15$

24 $\dfrac{81}{32} \div 9$

25 $\dfrac{12}{7} \div 16$

26 $\dfrac{25}{8} \div 10$

27 $\dfrac{36}{11} \div 27$

28 $\dfrac{20}{13} \div 16$

29 $\dfrac{33}{14} \div 12$

30 $\dfrac{32}{15} \div 10$

31 $\dfrac{45}{16} \div 20$

32 $\dfrac{26}{21} \div 39$

33 $\dfrac{27}{22} \div 6$

34 $\dfrac{24}{23} \div 18$

35 $\dfrac{72}{25} \div 27$

36 $\dfrac{28}{27} \div 21$

37 $\dfrac{49}{30} \div 14$

38 $\dfrac{64}{35} \div 48$

맞힌 개수	나의 학습 결과에 ○표 하세요.			
	맞힌 개수	0~4개	5~15개	16~34개	35~38개
개 /38개	학습 방법	다시 한번 풀어 봐요.	계산 연습이 필요해요.	틀린 문제를 확인해요.	실수하지 않도록 집중해요.

QR 빠른 정답 확인

🥕 나눗셈의 몫을 기약분수로 나타내어 보세요.

1 $\dfrac{3}{2} \div 8$

2 $\dfrac{7}{2} \div 9$

3 $\dfrac{15}{4} \div 7$

4 $\dfrac{17}{8} \div 5$

5 $\dfrac{23}{15} \div 6$

6 $\dfrac{29}{18} \div 2$

7 $\dfrac{33}{20} \div 4$

8 $\dfrac{5}{3} \div 25$

9 $\dfrac{35}{6} \div 5$

10 $\dfrac{9}{7} \div 9$

11 $\dfrac{25}{12} \div 5$

12 $\dfrac{27}{17} \div 9$

13 $\dfrac{20}{19} \div 4$

14 $\dfrac{39}{22} \div 13$

15 $\dfrac{22}{5} \div 4$

16 $\dfrac{34}{9} \div 10$

17 $\dfrac{49}{10} \div 21$

18 $\dfrac{25}{13} \div 20$

19 $\dfrac{21}{16} \div 18$

20 $\dfrac{48}{23} \div 36$

21 $\dfrac{52}{25} \div 39$

연산 in 문장제

철사 $\frac{11}{3}$ m를 4명이 똑같이 나누어 가지려고 합니다. 한 명이 가질 수 있는 철사의 길이는 몇 m인지 구해 보세요.

$$\frac{11}{3} \div 4 = \frac{11}{3} \times \frac{1}{4} = \frac{11}{12}\,(\text{m})$$

철사의 길이 ↗   ↑ 사람 수   ↖ 한 명이 가져야 하는 철사의 길이

22 딸기 $\frac{16}{3}$ kg을 바구니 8개에 똑같이 나누어 담으려고 합니다. 바구니 한 개에 담아야 하는 딸기의 무게는 몇 kg인지 구해 보세요.

답 _____

23 같은 양이 들어 있는 페인트 4통으로 넓이가 $\frac{34}{5}$ m²의 벽면을 칠했습니다. 페인트 한 통으로 칠한 벽면의 넓이는 몇 m²인지 구해 보세요.

답 _____

24 물 $\frac{22}{7}$ L를 11명이 똑같이 나누어 마시려고 합니다. 한 명이 마실 수 있는 물은 몇 L인지 구해 보세요.

답 _____

25 설탕 $\frac{27}{14}$ kg을 녹여 틀 12칸에 똑같이 나누어 담으려고 합니다. 한 칸에 담아야 하는 설탕은 몇 kg인지 구해 보세요.

답 _____

26 색 테이프 $\frac{38}{15}$ m를 18도막으로 똑같이 나누어 별 18개를 만들었습니다. 별 한 개를 만드는 데 사용한 색 테이프의 길이는 몇 m인지 구해 보세요.

답 _____

맞힌 개수	나의 학습 결과에 ○표 하세요.				QR 빠른정답 확인
	맞힌 개수	0~3개	4~9개	10~23개	24~26개	
개 /26개	학습 방법	다시 한번 풀어 봐요.	계산 연습이 필요해요.	틀린 문제를 확인해요.	실수하지 않도록 집중해요.	

3. (대분수)÷(자연수) (2)

$$1\frac{1}{6} \div 2 = \frac{7}{6} \div 2$$
$$= \frac{7}{6} \times \frac{1}{2}$$
$$= \frac{7}{12}$$

(대분수)÷(자연수)의 계산은 대분수를 가분수로 고친 후 (가분수)÷(자연수)와 같은 방법으로 계산해요.

🥕 ◻ 안에 알맞은 수를 써넣으세요.

1 $1\frac{1}{4} \div 6 = \dfrac{\boxed{}}{4} \div 6$

$= \dfrac{\boxed{}}{4} \times \dfrac{1}{\boxed{}}$

$= \dfrac{\boxed{}}{\boxed{}}$

2 $1\frac{5}{8} \div 5$

$= \dfrac{\boxed{}}{8} \div 5$

$= \dfrac{\boxed{}}{8} \times \dfrac{1}{\boxed{}}$

$= \dfrac{\boxed{}}{\boxed{}}$

3 $2\frac{2}{3} \div 16$

$= \dfrac{\boxed{}}{3} \div 16$

$= \dfrac{\boxed{}}{3} \times \dfrac{1}{\boxed{}}$

$= \dfrac{1}{\boxed{}}$

4 $1\frac{1}{7} \div 2 = \dfrac{\boxed{}}{7} \div 2$

$= \dfrac{\boxed{}}{7} \times \dfrac{1}{\boxed{}}$

$= \dfrac{\boxed{}}{7}$

5 $3\frac{7}{16} \div 22$

$= \dfrac{\boxed{}}{16} \div 22$

$= \dfrac{\boxed{}}{16} \times \dfrac{1}{\boxed{}}$

$= \dfrac{5}{\boxed{}}$

🥕 나눗셈의 몫을 기약분수로 나타내어 보세요.

6 $1\frac{4}{5} \div 5$

7 $5\frac{2}{7} \div 3$

8 $1\frac{3}{8} \div 2$

9 $1\frac{1}{11} \div 7$

10 $3\frac{1}{16} \div 3$

11 $3\frac{7}{18} \div 2$

12 $4\frac{2}{19} \div 7$

13 $1\dfrac{1}{20} \div 4$

14 $4\dfrac{7}{22} \div 9$

15 $3\dfrac{3}{23} \div 5$

16 $2\dfrac{17}{24} \div 2$

17 $3\dfrac{2}{27} \div 2$

18 $1\dfrac{15}{28} \div 4$

19 $1\dfrac{7}{30} \div 5$

20 $3\dfrac{2}{3} \div 11$

21 $3\dfrac{1}{9} \div 7$

22 $3\dfrac{4}{15} \div 49$

23 $2\dfrac{12}{17} \div 23$

24 $2\dfrac{7}{24} \div 11$

25 $6\dfrac{8}{27} \div 34$

26 $3\dfrac{16}{35} \div 11$

27 $8\dfrac{1}{6} \div 14$

28 $3\dfrac{3}{10} \div 6$

29 $2\dfrac{11}{12} \div 10$

30 $4\dfrac{8}{13} \div 25$

31 $4\dfrac{9}{14} \div 26$

32 $1\dfrac{3}{22} \div 20$

33 $1\dfrac{19}{31} \div 30$

맞힌 개수	나의 학습 결과에 ○표 하세요.			
	맞힌 개수	0~3개	4~13개	14~30개	31~33개
개 /33개	학습 방법	다시 한번 풀어 봐요.	계산 연습이 필요해요.	틀린 문제를 확인해요.	실수하지 않도록 집중해요.

QR 빠른정답 확인

🥕 나눗셈의 몫을 기약분수로 나타내어 보세요.

1 $4\dfrac{2}{3} \div 3$

> 대분수를 가분수로 바꾸고
> 나눗셈을 곱셈으로 바꾸어
> 계산해요.

2 $6\dfrac{5}{6} \div 3$

3 $4\dfrac{2}{9} \div 5$

4 $3\dfrac{5}{17} \div 3$

5 $1\dfrac{4}{19} \div 4$

6 $1\dfrac{1}{28} \div 2$

7 $4\dfrac{12}{35} \div 3$

8 $13\dfrac{1}{3} \div 5$

9 $2\dfrac{4}{5} \div 7$

10 $5\dfrac{5}{11} \div 30$

11 $1\dfrac{11}{18} \div 29$

12 $1\dfrac{13}{19} \div 8$

13 $1\dfrac{1}{27} \div 7$

14 $3\dfrac{24}{31} \div 13$

15 $6\dfrac{1}{4} \div 10$

16 $1\dfrac{3}{7} \div 4$

17 $2\dfrac{7}{10} \div 6$

18 $6\dfrac{3}{10} \div 18$

19 $2\dfrac{2}{15} \div 12$

20 $5\dfrac{13}{15} \div 16$

21 $2\dfrac{2}{19} \div 6$

연산 in 문장제

승준이는 매일 같은 거리만큼 뛰었습니다. 승준이가 3일 동안 $5\frac{1}{4}$ km를 뛰었다면 하루 동안 뛴 거리는 몇 km인지 구해 보세요.

$$5\frac{1}{4} \div 3 = \frac{21}{4} \div 3 = \frac{\overset{7}{\cancel{21}}}{4} \times \frac{1}{\underset{1}{\cancel{3}}} = \frac{7}{4} = 1\frac{3}{4}\,(km)$$

$\underset{\text{뛴 거리}}{\uparrow}$ $\underset{\text{날 수}}{\uparrow}$ $\underset{\text{하루 동안 뛴 거리}}{\uparrow}$

22 무게가 같은 참외 6개를 저울 위에 올려놓았더니 무게가 $3\frac{3}{4}$ kg이었습니다. 참외 한 개의 무게는 몇 kg인지 구해 보세요.

답 _____

23 넓이가 $7\frac{3}{7}$ m²인 텃밭을 4등분하여 고구마, 감자, 오이, 토마토를 각각 심으려고 합니다. 고구마를 심을 텃밭의 넓이는 몇 m²인지 구해 보세요.

답 _____

24 빵을 만드는 데 우유 $2\frac{2}{13}$ L를 3명이 똑같이 나누어 사용했습니다. 한 사람이 사용한 우유는 몇 L인지 구해 보세요.

답 _____

25 철사 $1\frac{9}{16}$ m를 겹치지 않고 남김없이 사용하여 정오각형을 만들었습니다. 정오각형의 한 변의 길이는 몇 m인지 구해 보세요.

답 _____

26 민서는 색 테이프 $3\frac{7}{19}$ m를 16도막으로 똑같이 나누려고 합니다. 색 테이프 한 도막의 길이는 몇 m인지 구해 보세요.

답 _____

맞힌 개수	나의 학습 결과에 ○표 하세요.				QR 빠른 정답 확인
개 /26개	맞힌 개수	0~3개	4~9개	10~23개	24~26개	
	학습 방법	다시 한번 풀어 봐요.	계산 연습이 필요해요.	틀린 문제를 확인해요.	실수하지 않도록 집중해요.	

4. (분수)÷(자연수)×(자연수)

$$3\frac{1}{5} \div 4 \times 10$$

$$= \frac{16}{5} \div 4 \times 10$$

대분수를 가분수로 바꾸어요.

$$= \frac{\overset{4}{\cancel{16}}}{\cancel{5}} \times \frac{1}{\cancel{4}_{1}} \times \overset{}{\cancel{10}}_{2}$$

나눗셈을 곱셈으로 나타내어 계산해요.

$$= 8$$

🥕 계산을 하여 기약분수로 나타내어 보세요.

3 $\dfrac{3}{8} \div 21 \times 24$

곱셈과 나눗셈이 섞여 있는 식은 앞에서부터 차례대로 계산해요.

4 $\dfrac{7}{9} \div 14 \times 6$

9 $\dfrac{5}{2} \div 4 \times 3$

10 $\dfrac{8}{3} \div 4 \times 5$

🥕 ☐ 안에 알맞은 수를 써넣으세요.

1 $\dfrac{28}{9} \div 21 \times 5$

$$= \frac{28}{9} \times \frac{1}{\boxed{}} \times 5$$

$$= \frac{20}{\boxed{}}$$

5 $\dfrac{9}{10} \div 14 \times 35$

11 $\dfrac{16}{3} \div 12 \times 9$

6 $\dfrac{8}{15} \div 16 \times 30$

12 $\dfrac{11}{4} \div 22 \times 6$

2 $1\dfrac{1}{12} \div 9 \times 6$

$$= \frac{\boxed{}}{12} \div 9 \times 6$$

$$= \frac{\boxed{}}{12} \times \frac{1}{\boxed{}} \times 6$$

$$= \frac{\boxed{}}{18}$$

7 $\dfrac{2}{17} \div 4 \times 17$

8 $\dfrac{19}{20} \div 3 \times 15$

13 $\dfrac{9}{5} \div 3 \times 10$

14 $\dfrac{10}{7} \div 2 \times 7$

15　$\dfrac{20}{7} \div 10 \times 2$

21　$34\dfrac{2}{3} \div 6 \times 9$

27　$4\dfrac{1}{11} \div 3 \times 22$

16　$\dfrac{16}{9} \div 12 \times 9$

22　$2\dfrac{1}{4} \div 3 \times 2$

28　$6\dfrac{2}{11} \div 17 \times 5$

17　$\dfrac{21}{10} \div 6 \times 7$

23　$8\dfrac{1}{6} \div 7 \times 2$

29　$2\dfrac{7}{15} \div 37 \times 2$

18　$\dfrac{27}{14} \div 15 \times 21$

24　$3\dfrac{4}{7} \div 25 \times 4$

30　$2\dfrac{3}{16} \div 49 \times 8$

19　$\dfrac{25}{21} \div 10 \times 3$

25　$1\dfrac{1}{8} \div 3 \times 12$

31　$1\dfrac{8}{19} \div 54 \times 30$

20　$\dfrac{32}{25} \div 2 \times 15$

26　$2\dfrac{2}{9} \div 5 \times 3$

32　$2\dfrac{1}{22} \div 9 \times 33$

맞힌 개수	나의 학습 결과에 ○표 하세요.				QR 빠른정답 확인
	맞힌 개수	0～3개	4～12개	13～29개	30～32개
개 /32개	학습 방법	다시 한번 풀어 봐요.	계산 연습이 필요해요.	틀린 문제를 확인해요.	실수하지 않도록 집중해요.

4. (분수)÷(자연수)×(자연수)

🥕 계산을 하여 기약분수로 나타내어 보세요.

1 $\dfrac{1}{4} \div 2 \times 7$

> 나눗셈을 곱셈으로 나타내어 앞에서부터 차례대로 계산해요.

2 $\dfrac{3}{4} \div 6 \times 2$

3 $\dfrac{5}{6} \div 10 \times 6$

4 $\dfrac{2}{7} \div 8 \times 14$

5 $\dfrac{2}{9} \div 8 \times 18$

6 $\dfrac{9}{11} \div 18 \times 33$

7 $\dfrac{13}{15} \div 52 \times 20$

8 $\dfrac{6}{17} \div 15 \times 17$

9 $\dfrac{7}{18} \div 21 \times 27$

10 $\dfrac{16}{21} \div 18 \times 7$

11 $\dfrac{10}{23} \div 5 \times 2$

12 $\dfrac{15}{26} \div 5 \times 39$

13 $\dfrac{8}{5} \div 5 \times 10$

14 $\dfrac{19}{8} \div 3 \times 12$

15 $\dfrac{13}{10} \div 5 \times 25$

16 $\dfrac{77}{12} \div 44 \times 28$

17 $\dfrac{20}{13} \div 24 \times 26$

18 $\dfrac{52}{15} \div 13 \times 9$

19 $\dfrac{35}{18} \div 20 \times 27$

25 $8\dfrac{2}{3} \div 13 \times 3$

먼저 대분수를
가분수로 바꾸어요.

31 $2\dfrac{1}{17} \div 3 \times 34$

20 $\dfrac{22}{21} \div 33 \times 9$

26 $1\dfrac{2}{7} \div 9 \times 2$

32 $1\dfrac{11}{19} \div 3 \times 2$

21 $\dfrac{50}{23} \div 15 \times 46$

27 $6\dfrac{5}{8} \div 53 \times 24$

33 $1\dfrac{3}{22} \div 2 \times 16$

22 $\dfrac{29}{24} \div 2 \times 16$

28 $2\dfrac{11}{12} \div 9 \times 2$

34 $3\dfrac{1}{25} \div 12 \times 15$

23 $\dfrac{84}{25} \div 14 \times 20$

29 $3\dfrac{1}{15} \div 23 \times 20$

35 $2\dfrac{13}{30} \div 73 \times 10$

24 $\dfrac{82}{29} \div 41 \times 3$

30 $3\dfrac{7}{16} \div 33 \times 32$

36 $1\dfrac{5}{32} \div 37 \times 16$

맞힌 개수	나의 학습 결과에 ○표 하세요.			
	맞힌 개수	0~4개	5~14개	15~32개	33~36개
개 /36개	학습 방법	다시 한번 풀어 봐요.	계산 연습이 필요해요.	틀린 문제를 확인해요.	실수하지 않도록 집중해요.

QR 빠른 정답 확인

5. (분수)×(자연수)÷(자연수)

$2\dfrac{3}{7}\times 7\div 34$

대분수를 가분수로 바꾸어요.

$=\dfrac{17}{7}\times 7\div 34$

나눗셈을 곱셈으로 나타내어 계산해요.

$=\dfrac{17}{7}\times 7\times \dfrac{1}{34}$

$=\dfrac{1}{2}$

 계산을 하여 기약분수로 나타내어 보세요.

3 $\dfrac{2}{5}\times 5\div 15$

9 $\dfrac{15}{2}\times 8\div 10$

4 $\dfrac{7}{8}\times 2\div 14$

10 $\dfrac{8}{3}\times 9\div 16$

□ 안에 알맞은 수를 써넣으세요.

1 $\dfrac{3}{4}\times 4\div 18$

$=\dfrac{3}{4}\times 4\times \dfrac{1}{\boxed{}}$

$=\dfrac{1}{\boxed{}}$

5 $\dfrac{2}{11}\times 3\div 30$

11 $\dfrac{9}{4}\times 12\div 9$

6 $\dfrac{7}{12}\times 16\div 21$

12 $\dfrac{7}{5}\times 2\div 10$

2 $3\dfrac{21}{26}\times 39\div 27$

$=\dfrac{\boxed{}}{26}\times 39\div 27$

$=\dfrac{\boxed{}}{26}\times 39\times \dfrac{1}{\boxed{}}$

$=\dfrac{\boxed{}}{2}=\boxed{}\dfrac{\boxed{}}{2}$

7 $\dfrac{15}{16}\times 32\div 40$

13 $\dfrac{10}{7}\times 3\div 7$

8 $\dfrac{17}{21}\times 3\div 51$

14 $\dfrac{27}{10}\times 15\div 3$

15 $\dfrac{25}{12} \times 16 \div 10$

21 $1\dfrac{2}{3} \times 18 \div 25$

27 $2\dfrac{11}{12} \times 2 \div 21$

16 $\dfrac{21}{16} \times 32 \div 14$

22 $3\dfrac{1}{3} \times 6 \div 15$

28 $2\dfrac{4}{15} \times 27 \div 17$

17 $\dfrac{24}{17} \times 17 \div 12$

23 $1\dfrac{5}{6} \times 15 \div 4$

29 $2\dfrac{11}{16} \times 8 \div 9$

18 $\dfrac{24}{19} \times 19 \div 40$

24 $9\dfrac{3}{7} \times 14 \div 36$

30 $4\dfrac{13}{16} \times 12 \div 18$

19 $\dfrac{27}{20} \times 16 \div 8$

25 $1\dfrac{1}{8} \times 4 \div 6$

31 $4\dfrac{2}{17} \times 4 \div 35$

20 $\dfrac{40}{21} \times 35 \div 32$

26 $1\dfrac{4}{11} \times 22 \div 20$

32 $2\dfrac{1}{21} \times 9 \div 43$

맞힌 개수	나의 학습 결과에 ○표 하세요.				
	맞힌 개수	0~3개	4~12개	13~29개	30~32개
개 /32개	학습 방법	다시 한번 풀어 봐요.	계산 연습이 필요해요.	틀린 문제를 확인해요.	실수하지 않도록 집중해요.

QR 빠른정답 확인

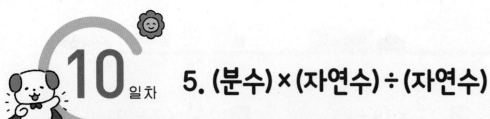

10일차 5. (분수) × (자연수) ÷ (자연수)

🥕 계산을 하여 기약분수로 나타내어 보세요.

1 $\dfrac{3}{5} \times 4 \div 3$

2 $\dfrac{5}{6} \times 4 \div 10$

3 $\dfrac{3}{8} \times 2 \div 12$

4 $\dfrac{9}{10} \times 3 \div 9$

5 $\dfrac{8}{11} \times 4 \div 16$

6 $\dfrac{11}{12} \times 3 \div 11$

7 $\dfrac{6}{17} \times 17 \div 34$

8 $\dfrac{7}{18} \times 24 \div 8$

9 $\dfrac{12}{23} \times 46 \div 24$

10 $\dfrac{18}{25} \times 15 \div 45$

11 $\dfrac{3}{28} \times 24 \div 9$

12 $\dfrac{19}{35} \times 40 \div 38$

13 $\dfrac{12}{5} \times 10 \div 6$

14 $\dfrac{13}{6} \times 30 \div 26$

15 $\dfrac{8}{7} \times 42 \div 5$

16 $\dfrac{10}{9} \times 27 \div 7$

17 $\dfrac{16}{11} \times 22 \div 8$

18 $\dfrac{17}{12} \times 18 \div 34$

19 $\dfrac{16}{15} \times 40 \div 8$

25 $9\dfrac{2}{3} \times 9 \div 29$

31 $4\dfrac{9}{14} \times 21 \div 26$

20 $\dfrac{35}{18} \times 45 \div 21$

26 $1\dfrac{1}{4} \times 10 \div 4$

32 $8\dfrac{1}{15} \times 15 \div 77$

21 $\dfrac{30}{19} \times 38 \div 20$

27 $2\dfrac{4}{7} \times 28 \div 18$

33 $2\dfrac{1}{17} \times 6 \div 21$

22 $\dfrac{32}{21} \times 21 \div 16$

28 $1\dfrac{3}{8} \times 4 \div 22$

34 $2\dfrac{4}{19} \times 19 \div 14$

23 $\dfrac{68}{25} \times 15 \div 4$

29 $3\dfrac{1}{9} \times 3 \div 17$

35 $1\dfrac{16}{23} \times 46 \div 9$

24 $\dfrac{91}{30} \times 10 \div 26$

30 $2\dfrac{3}{14} \times 2 \div 31$

36 $4\dfrac{8}{29} \times 18 \div 62$

맞힌 개수	나의 학습 결과에 ○표 하세요.				QR 빠른 정답 확인
	맞힌 개수	0~4개	5~14개	15~32개	33~36개
개 /36개	학습 방법	다시 한번 풀어 봐요.	계산 연습이 필요해요.	틀린 문제를 확인해요.	실수하지 않도록 집중해요.

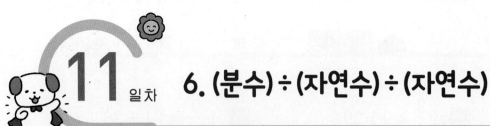

$$6\frac{1}{4} \div 15 \div 3$$

대분수를 가분수로 바꾸어요.

$$= \frac{25}{4} \div 15 \div 3$$

나눗셈을 곱셈으로 나타내어 계산해요.

$$= \frac{\overset{5}{\cancel{25}}}{4} \times \frac{1}{\underset{3}{\cancel{15}}} \times \frac{1}{3}$$

$$= \frac{5}{36}$$

🥕 계산을 하여 기약분수로 나타내어 보세요.

3 $\frac{4}{5} \div 10 \div 12$

9 $\frac{3}{2} \div 2 \div 6$

4 $\frac{2}{7} \div 6 \div 3$

10 $\frac{7}{6} \div 8 \div 2$

🥕 ☐ 안에 알맞은 수를 써넣으세요.

1 $\frac{50}{17} \div 20 \div 4$

$$= \frac{50}{17} \times \frac{1}{\boxed{}} \times \frac{1}{\boxed{}}$$

$$= \frac{5}{\boxed{}}$$

5 $\frac{5}{8} \div 15 \div 4$

11 $\frac{13}{6} \div 13 \div 5$

6 $\frac{9}{13} \div 18 \div 10$

12 $\frac{9}{7} \div 6 \div 3$

2 $2\frac{5}{14} \div 3 \div 4$

$$= \frac{\boxed{}}{14} \div 3 \div 4$$

$$= \frac{\boxed{}}{14} \times \frac{1}{\boxed{}} \times \frac{1}{\boxed{}}$$

$$= \frac{\boxed{}}{56}$$

7 $\frac{14}{23} \div 7 \div 3$

13 $\frac{11}{9} \div 11 \div 4$

8 $\frac{25}{27} \div 30 \div 5$

14 $\frac{21}{10} \div 14 \div 9$

15 $\dfrac{35}{12} \div 14 \div 21$

21 $1\dfrac{1}{3} \div 3 \div 8$

27 $3\dfrac{9}{10} \div 2 \div 13$

16 $\dfrac{17}{13} \div 10 \div 2$

22 $2\dfrac{1}{4} \div 4 \div 18$

28 $4\dfrac{5}{11} \div 2 \div 28$

17 $\dfrac{25}{14} \div 15 \div 5$

23 $2\dfrac{6}{7} \div 5 \div 12$

29 $5\dfrac{2}{11} \div 9 \div 19$

18 $\dfrac{91}{16} \div 7 \div 13$

24 $5\dfrac{1}{7} \div 9 \div 4$

30 $3\dfrac{13}{15} \div 6 \div 15$

19 $\dfrac{63}{20} \div 21 \div 3$

25 $6\dfrac{4}{7} \div 8 \div 46$

31 $1\dfrac{7}{18} \div 5 \div 6$

20 $\dfrac{45}{23} \div 33 \div 5$

26 $9\dfrac{4}{9} \div 15 \div 34$

32 $2\dfrac{13}{22} \div 19 \div 2$

맞힌 개수	나의 학습 결과에 ○표 하세요.				QR 빠른정답 확인
	맞힌 개수	0~3개	4~12개	13~29개	30~32개	
개 /32개	학습 방법	다시 한번 풀어 봐요.	계산 연습이 필요해요.	틀린 문제를 확인해요.	실수하지 않도록 집중해요.	

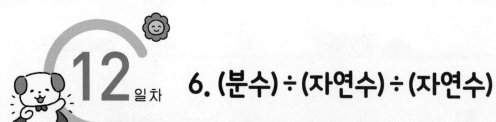

6. (분수)÷(자연수)÷(자연수)

🥕 계산을 하여 기약분수로 나타내어 보세요.

1 $\dfrac{1}{2} \div 4 \div 3$

2 $\dfrac{2}{3} \div 2 \div 6$

3 $\dfrac{5}{9} \div 4 \div 7$

4 $\dfrac{7}{12} \div 14 \div 8$

5 $\dfrac{14}{15} \div 7 \div 31$

6 $\dfrac{9}{16} \div 45 \div 2$

7 $\dfrac{16}{19} \div 32 \div 4$

8 $\dfrac{8}{21} \div 16 \div 3$

9 $\dfrac{16}{25} \div 24 \div 10$

10 $\dfrac{12}{29} \div 6 \div 4$

11 $\dfrac{13}{30} \div 52 \div 2$

12 $\dfrac{6}{11} \div 2 \div 8$

13 $\dfrac{5}{4} \div 2 \div 20$

14 $\dfrac{6}{5} \div 2 \div 12$

15 $\dfrac{45}{7} \div 4 \div 30$

16 $\dfrac{50}{9} \div 3 \div 15$

17 $\dfrac{25}{11} \div 2 \div 20$

18 $\dfrac{15}{14} \div 2 \div 35$

19 $\dfrac{81}{17} \div 9 \div 18$

25 $1\dfrac{5}{6} \div 4 \div 22$

31 $5\dfrac{5}{14} \div 21 \div 10$

20 $\dfrac{49}{20} \div 28 \div 7$

26 $5\dfrac{7}{8} \div 4 \div 47$

32 $4\dfrac{5}{16} \div 46 \div 6$

21 $\dfrac{35}{24} \div 15 \div 21$

27 $2\dfrac{1}{10} \div 7 \div 3$

33 $2\dfrac{1}{17} \div 35 \div 34$

22 $\dfrac{63}{26} \div 35 \div 3$

28 $3\dfrac{5}{12} \div 2 \div 3$

34 $4\dfrac{1}{20} \div 27 \div 3$

23 $\dfrac{77}{30} \div 14 \div 5$

29 $1\dfrac{12}{13} \div 10 \div 20$

35 $3\dfrac{1}{25} \div 38 \div 2$

24 $\dfrac{125}{36} \div 25 \div 2$

30 $3\dfrac{1}{13} \div 20 \div 3$

36 $1\dfrac{3}{29} \div 8 \div 6$

맞힌 개수	나의 학습 결과에 ○표 하세요.					QR 빠른 정답 확인
	맞힌 개수	0~4개	5~14개	15~32개	33~36개	
개 /36개	학습 방법	다시 한번 풀어 봐요.	계산 연습이 필요해요.	틀린 문제를 확인해요.	실수하지 않도록 집중해요.	

연산&문장제 마무리

🥕 계산을 하여 기약분수로 나타내어 보세요.

1 $\dfrac{7}{10} \div 5$

2 $\dfrac{13}{20} \div 4$

3 $\dfrac{3}{5} \div 9$

4 $\dfrac{11}{15} \div 33$

5 $\dfrac{15}{28} \div 30$

6 $\dfrac{4}{7} \div 18$

7 $\dfrac{10}{23} \div 25$

8 $\dfrac{17}{3} \div 2$

9 $\dfrac{25}{6} \div 10$

10 $\dfrac{30}{13} \div 5$

11 $\dfrac{55}{18} \div 5$

12 $\dfrac{36}{25} \div 72$

13 $\dfrac{32}{27} \div 40$

14 $\dfrac{49}{34} \div 14$

15 $2\dfrac{3}{4} \div 2$

16 $1\dfrac{5}{8} \div 20$

17 $3\dfrac{5}{9} \div 4$

18 $1\dfrac{5}{12} \div 34$

19 $2\dfrac{6}{17} \div 20$

20 $1\dfrac{11}{24} \div 21$

21 $3\dfrac{3}{26} \div 18$

22 $\dfrac{3}{7} \div 9 \times 21$

30 $\dfrac{1}{5} \times 10 \div 3$

38 $\dfrac{4}{9} \div 6 \div 5$

23 $\dfrac{8}{11} \div 2 \times 3$

31 $\dfrac{5}{8} \times 12 \div 15$

39 $\dfrac{8}{15} \div 4 \div 3$

24 $\dfrac{9}{14} \div 6 \times 7$

32 $\dfrac{15}{22} \times 11 \div 12$

40 $\dfrac{12}{23} \div 9 \div 8$

25 $\dfrac{34}{7} \div 17 \times 2$

33 $\dfrac{27}{8} \times 20 \div 45$

41 $\dfrac{32}{9} \div 12 \div 14$

26 $\dfrac{28}{11} \div 20 \times 2$

34 $\dfrac{56}{15} \times 30 \div 24$

42 $\dfrac{45}{14} \div 18 \div 10$

27 $\dfrac{40}{17} \div 16 \times 34$

35 $\dfrac{133}{30} \times 15 \div 38$

43 $\dfrac{91}{30} \div 26 \div 4$

28 $3\dfrac{5}{12} \div 41 \times 16$

36 $3\dfrac{1}{2} \times 8 \div 2$

44 $1\dfrac{13}{15} \div 28 \div 2$

29 $2\dfrac{8}{21} \div 40 \times 18$

37 $6\dfrac{3}{7} \times 14 \div 27$

45 $5\dfrac{5}{26} \div 9 \div 15$

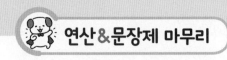
46 우유 $\frac{13}{16}$ L를 3명이 똑같이 나누어 마시려고 합니다. 한 명이 마실 수 있는 우유는 몇 L인지 구해 보세요.

연산 노트

답 _____

47 길이가 $\frac{4}{17}$ m인 철사를 겹치지 않고 남김없이 사용하여 정사각형을 만들었습니다. 만든 정사각형의 한 변의 길이는 몇 m인지 구해 보세요.

답 _____

48 설탕 $\frac{16}{25}$ kg으로 똑같은 케이크 6개를 만들려고 합니다. 케이크 한 개를 만드는 데 사용한 설탕은 몇 kg인지 구해 보세요.

답 _____

49 넓이가 $\frac{15}{2}$ m²인 밭을 5등분하여 5종류의 작물을 각각 심으려고 합니다. 한 종류의 작물을 심을 밭의 넓이는 몇 m²인지 구해 보세요.

답 _____

50 물 $\frac{33}{7}$ L를 물병 3개에 똑같이 나누어 담으려고 합니다. 물병 한 개에 담아야 하는 물은 몇 L인지 구해 보세요.

답 _____

51 길이가 $6\frac{3}{4}$ m인 끈을 똑같이 9등분하여 상자 9개를 각각 묶었습니다. 상자 한 개를 묶는 데 사용한 끈의 길이는 몇 m인지 구해 보세요.

답 _____

52 쌀 $5\frac{5}{9}$ kg을 통 15개에 똑같이 나누어 담으려고 합니다. 통 한 개에 담아야 하는 쌀은 몇 kg인지 구해 보세요.

답 _____

맞힌 개수	나의 학습 결과에 ○표 하세요.				QR 빠른정답 확인
	맞힌 개수	0~5개	6~21개	22~47개	48~52개
개 /52개	학습 방법	다시 한번 풀어 봐요.	계산 연습이 필요해요.	틀린 문제를 확인해요.	실수하지 않도록 집중해요.

3

소수의 나눗셈 (1)

01 일차

1. 자연수의 나눗셈을 이용한 (소수)÷(자연수)

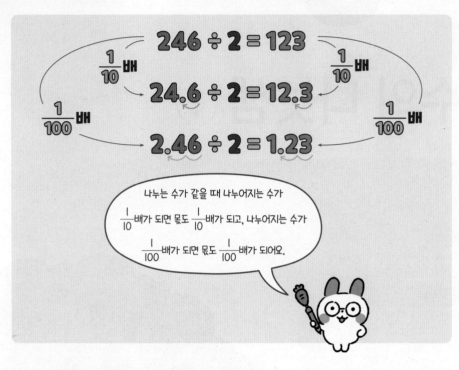

9 $226 \div 2 = 113$

$2.26 \div 2 = \boxed{}$

10 $366 \div 3 = 122$

$3.66 \div 3 = \boxed{}$

11 $488 \div 4 = 122$

$4.88 \div 4 = \boxed{}$

🥕 ☐ 안에 알맞은 수를 써넣으세요.

1 $36 \div 2 = 18$

$3.6 \div 2 = \boxed{}$

5 $152 \div 8 = 19$

$15.2 \div 8 = \boxed{}$

12 $555 \div 5 = 111$

$5.55 \div 5 = \boxed{}$

2 $72 \div 3 = 24$

$7.2 \div 3 = \boxed{}$

6 $224 \div 7 = 32$

$22.4 \div 7 = \boxed{}$

13 $568 \div 2 = 284$

$5.68 \div 2 = \boxed{}$

3 $108 \div 9 = 12$

$10.8 \div 9 = \boxed{}$

7 $265 \div 5 = 53$

$26.5 \div 5 = \boxed{}$

14 $693 \div 3 = 231$

$6.93 \div 3 = \boxed{}$

4 $144 \div 4 = 36$

$14.4 \div 4 = \boxed{}$

8 $294 \div 6 = 49$

$29.4 \div 6 = \boxed{}$

15 $736 \div 4 = 184$

$7.36 \div 4 = \boxed{}$

16 $756 \div 6 = 126$

$7.56 \div 6 =$ ☐

17 $785 \div 5 = 157$

$7.85 \div 5 =$ ☐

18 $824 \div 4 = 206$

$8.24 \div 4 =$ ☐

19 $889 \div 7 = 127$

$8.89 \div 7 =$ ☐

20 $928 \div 8 = 116$

$9.28 \div 8 =$ ☐

21 $966 \div 6 = 161$

$9.66 \div 6 =$ ☐

22 $981 \div 9 = 109$

$9.81 \div 9 =$ ☐

🥕 자연수의 나눗셈을 이용하여 소수의 나눗셈을 계산해 보세요.

23 $234 \div 2$

$23.4 \div 2$

나누어지는 수의
소수점의 위치를 확인해요.

24 $357 \div 3$

$35.7 \div 3$

25 $484 \div 4$

$48.4 \div 4$

26 $525 \div 5$

$52.5 \div 5$

27 $644 \div 4$

$64.4 \div 4$

28 $712 \div 2$

$71.2 \div 2$

29 $729 \div 3$

$72.9 \div 3$

30 $774 \div 6$

$7.74 \div 6$

31 $868 \div 7$

$8.68 \div 7$

32 $875 \div 5$

$8.75 \div 5$

33 $888 \div 6$

$8.88 \div 6$

34 $909 \div 9$

$9.09 \div 9$

35 $931 \div 7$

$9.31 \div 7$

36 $984 \div 8$

$9.84 \div 8$

맞힌 개수	나의 학습 결과에 ○표 하세요.				QR 빠른정답 확인
	맞힌 개수	0~4개	5~14개	15~32개	33~36개
개 /36개	학습 방법	다시 한번 풀어 봐요.	계산 연습이 필요해요.	틀린 문제를 확인해요.	실수하지 않도록 집중해요.

02 일차

1. 자연수의 나눗셈을 이용한 (소수)÷(자연수)

🥕 ☐ 안에 알맞은 수를 써넣으세요.

1 $276 \div 2 = 138$

$27.6 \div 2 = $ ☐

$2.76 \div 2 = $ ☐

2 $438 \div 3 = 146$

$43.8 \div 3 = $ ☐

$4.38 \div 3 = $ ☐

3 $552 \div 4 = 138$

$55.2 \div 4 = $ ☐

$5.52 \div 4 = $ ☐

4 $714 \div 7 = 102$

$71.4 \div 7 = $ ☐

$7.14 \div 7 = $ ☐

5 $792 \div 6 = 132$

$79.2 \div 6 = $ ☐

$7.92 \div 6 = $ ☐

6 $896 \div 8 = 112$

$89.6 \div 8 = $ ☐

$8.96 \div 8 = $ ☐

🥕 자연수의 나눗셈을 이용하여 소수의 나눗셈을 계산해 보세요.

7 $206 \div 2$

$20.6 \div 2$

$2.06 \div 2$

8 $336 \div 3$

$33.6 \div 3$

$3.36 \div 3$

9 $426 \div 2$

$42.6 \div 2$

$4.26 \div 2$

10 $516 \div 4$

$51.6 \div 4$

$5.16 \div 4$

11 $534 \div 3$

$53.4 \div 3$

$5.34 \div 3$

12 $648 \div 6$

$64.8 \div 6$

$6.48 \div 6$

13 $725 \div 5$

$72.5 \div 5$

$7.25 \div 5$

14 $833 \div 7$

$83.3 \div 7$

$8.33 \div 7$

15 $864 \div 4$

$86.4 \div 4$

$8.64 \div 4$

16 $954 \div 9$

$95.4 \div 9$

$9.54 \div 9$

17 $955 \div 5$

$95.5 \div 5$

$9.55 \div 5$

18 $992 \div 8$

$99.2 \div 8$

$9.92 \div 8$

연산 in 문장제

리본 536 mm를 4도막으로 똑같이 나누면 한 도막은 134 mm입니다. 리본 53.6 cm를 4도막으로 똑같이 나누면 한 도막은 몇 cm인지 구해 보세요.

$\frac{1}{10}$배	536	÷	4	=	134		$\frac{1}{10}$배
	53.6	÷	4	=	13.4		

$$53.6 \div 4 = 13.4 \, (\text{cm})$$

리본의 길이   도막 수   한 도막의 길이

---

19 끈 84 mm를 3도막으로 똑같이 나누면 한 도막은 28 mm입니다. 끈 8.4 cm를 3도막으로 똑같이 나누면 한 도막은 몇 cm인지 구해 보세요.

➡

	÷		=	
	÷		=	

답 _____

20 테이프 672 mm를 6도막으로 똑같이 나누면 한 도막은 112 mm입니다. 테이프 67.2 cm를 6도막으로 똑같이 나누면 한 도막은 몇 cm인지 구해 보세요.

➡

	÷		=	
	÷		=	

답 _____

21 윤희가 상자 2개를 묶으려고 리본 228 cm를 2도막으로 똑같이 나누었더니 리본 한 도막은 114 cm가 되었습니다. 같은 방법으로 준호도 리본 2.28 m를 2도막으로 똑같이 나누어 상자 2개를 묶으려고 합니다. 준호가 나눈 리본 한 도막은 몇 m인지 구해 보세요.

➡

	÷		=	
	÷		=	

답 _____

22 실 775 cm를 5도막으로 똑같이 나누면 한 도막은 155 cm입니다. 실 7.75 m를 5도막으로 똑같이 나누면 한 도막은 몇 m인지 구해 보세요.

➡

	÷		=	
	÷		=	

답 _____

맞힌 개수	나의 학습 결과에 ○표 하세요.				QR 빠른정답 확인
	맞힌 개수	0~2개	3~7개	8~20개	21~22개	
개 /22개	학습 방법	다시 한번 풀어 봐요.	계산 연습이 필요해요.	틀린 문제를 확인해요.	실수하지 않도록 집중해요.	

일차

2. 몫이 소수 한 자리 수인 (소수)÷(자연수) (1)

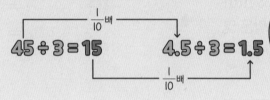

방법1 분수의 나눗셈으로 바꾸어 계산하기

$$4.5 \div 3 = \frac{45}{10} \div 3 = \frac{45 \div 3}{10} = \frac{15}{10} = 1.5$$

소수를 분수로 바꾸어요.   분수를 다시 소수로 바꾸어요.

방법2 자연수의 나눗셈을 이용하여 계산하기

$$45 \div 3 = 15 \qquad 4.5 \div 3 = 1.5$$

나누어지는 수의 소수점이
왼쪽으로 1칸 이동하면
몫의 소수점도 왼쪽으로 1칸 이동!
$4.5 \div 3 = 1.5$

🥕 계산해 보세요.

6 $7.6 \div 2$

분수의 나눗셈으로 바꾸어
계산하거나 자연수의 나눗셈을
이용하여 계산할 수 있어요.

7 $9.2 \div 4$

8 $14.4 \div 8$

🥕 ☐ 안에 알맞은 수를 써넣으세요.

1 $5.1 \div 3$

$$= \frac{\boxed{}}{10} \div 3$$

$$= \frac{\boxed{} \div 3}{10}$$

$$= \frac{\boxed{}}{10} = \boxed{}$$

3 $98 \div 7 = \boxed{}$

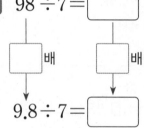

☐배   ☐배

$9.8 \div 7 = \boxed{}$

9 $16.2 \div 3$

4 $132 \div 2 = \boxed{}$

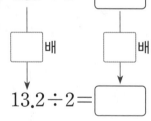

☐배   ☐배

$13.2 \div 2 = \boxed{}$

10 $21.5 \div 5$

11 $28.2 \div 6$

2 $27.6 \div 12$

$$= \frac{\boxed{}}{10} \div 12$$

$$= \frac{\boxed{} \div 12}{10}$$

$$= \frac{\boxed{}}{10} = \boxed{}$$

5 $556 \div 4 = \boxed{}$

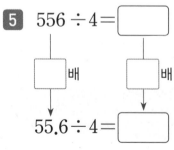

☐배   ☐배

$55.6 \div 4 = \boxed{}$

12 $31.2 \div 12$

13 $37.1 \div 7$

14 $41.4 \div 18$

21 $67.5 \div 27$

28 $83.1 \div 3$

15 $42.4 \div 8$

22 $68.6 \div 7$

29 $88.2 \div 9$

16 $47.2 \div 4$

23 $71.5 \div 5$

30 $91.8 \div 17$

17 $51.8 \div 14$

24 $73.5 \div 3$

31 $93.2 \div 4$

18 $53.9 \div 11$

25 $75.2 \div 8$

32 $97.2 \div 12$

19 $61.5 \div 5$

26 $81.9 \div 21$

33 $109.6 \div 8$

20 $62.4 \div 4$

27 $82.8 \div 23$

34 $125.5 \div 5$

맞힌 개수	나의 학습 결과에 ○표 하세요.				QR 빠른정답 확인
	맞힌 개수	0~3개	4~13개	14~31개	32~34개	
개 /34개	학습 방법	다시 한번 풀어 봐요.	계산 연습이 필요해요.	틀린 문제를 확인해요.	실수하지 않도록 집중해요.	

04 일차

2. 몫이 소수 한 자리 수인 (소수)÷(자연수) (1)

🥕 계산해 보세요.

1 4.8÷3

소수를 분수로 바꿀 때 소수 한 자리 수는 분모가 10인 분수로 바꾸어요.

2 9.5÷5

3 17.5÷7

4 19.8÷9

5 28.8÷9

6 34.8÷12

7 35.2÷2

8 43.2÷16

9 45.6÷8

10 51.2÷4

11 59.8÷13

12 62.3÷7

13 65.5÷5

14 72.2÷19

15 73.1÷17

16 78.8÷4

17 81.5÷5

18 84.6÷3

19 91.2÷12

20 93.6÷6

21 93.8÷7

22 95.2÷8

23 117.6÷6

24 145.6÷8

연산 in 문장제

자동차 모형을 만들기 위해 찰흙 15.2 kg을 두 모둠에 똑같이 나누어 주려고 합니다. 한 모둠에 나누어 주어야 하는 찰흙의 무게는 몇 kg인지 구해 보세요.

$$15.2 \div 2 = \frac{152}{10} \div 2 = \frac{152 \div 2}{10} = \frac{76}{10} = 7.6 \,(\text{kg})$$

찰흙의 무게　모둠 수　　　　　　　　　　　　　한 모둠에 나누어
주어야 하는 찰흙의 무게

25 식용유 12.5 L를 병 5개에 똑같이 나누어 담았습니다. 병 한 개에 담은 식용유는 몇 L인지 구해 보세요.

답 _____

26 무게가 같은 색연필 9자루의 무게는 46.8 g입니다. 색연필 한 자루의 무게는 몇 g인지 구해 보세요.

답 _____

27 파란색 끈의 길이는 빨간색 끈의 길이의 4배입니다. 파란색 끈의 길이가 58.4 m일 때, 빨간색 끈의 길이는 몇 m인지 구해 보세요.

답 _____

28 밭에서 캔 고구마 71.4 kg을 상자 6개에 똑같이 나누어 담았습니다. 상자 한 개에 담은 고구마의 무게는 몇 kg인지 구해 보세요.

답 _____

29 길이가 94.5 cm인 나무 도막을 똑같이 15개로 나누었습니다. 나누어진 나무 도막 한 개의 길이는 몇 cm인지 구해 보세요.

답 _____

맞힌 개수	나의 학습 결과에 ○표 하세요.			
	맞힌 개수	0~3개	4~11개	12~26개	27~29개
개 /29개	학습 방법	다시 한번 풀어 봐요.	계산 연습이 필요해요.	틀린 문제를 확인해요.	실수하지 않도록 집중해요.

QR 빠른정답 확인

3. 몫이 소수 한 자리 수인
(소수)÷(자연수) (2)

자연수의 나눗셈과 같은 방법으로 계산해요.

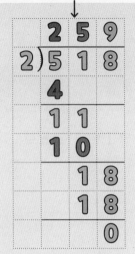 →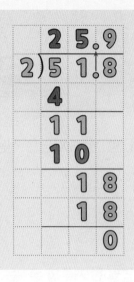

몫의 소수점은 나누어지는 수의 소수점 위치에 맞추어 찍어요.

🥕 계산해 보세요.

1

$$4\overline{)5.6}$$

2

$$2\overline{)3\ 7.4}$$

3

$$1\ 2\overline{)4\ 9.2}$$

4

$$6\overline{)9\ 2.4}$$

5

$$2\overline{)3.4}$$

6

$$4\overline{)1\ 3.6}$$

7

$$3\overline{)1\ 7.7}$$

8

$$9\overline{)2\ 9.7}$$

9

$$13\overline{)3\ 3.8}$$

10

$$8\overline{)4\ 6.4}$$

11

$$4\overline{)5\ 4.4}$$

12

$$7\overline{)59.5}$$

13

$$9\overline{)61.2}$$

14

$$5\overline{)66.5}$$

15

$$6\overline{)73.8}$$

16

$$7\overline{)85.4}$$

17

$$18\overline{)88.2}$$

18

$$21\overline{)92.4}$$

19 $19.2 \div 3$

20 $25.6 \div 8$

21 $38.7 \div 9$

22 $44.2 \div 17$

23 $45.5 \div 7$

24 $53.4 \div 6$

25 $62.5 \div 5$

26 $71.5 \div 11$

27 $75.6 \div 21$

28 $81.6 \div 12$

29 $89.7 \div 3$

30 $92.5 \div 25$

31 $92.8 \div 16$

32 $134.4 \div 4$

맞힌 개수	나의 학습 결과에 ○표 하세요.				QR 빠른 정답 확인
	맞힌 개수	0~3개	4~12개	13~29개	30~32개
개 /32개	학습 방법	다시 한번 풀어 봐요.	계산 연습이 필요해요.	틀린 문제를 확인해요.	실수하지 않도록 집중해요.

3. 몫이 소수 한 자리 수인 (소수)÷(자연수) (2)

🥕 계산해 보세요.

1

$$4\overline{)6.8}$$

2

$$6\overline{)19.8}$$

3

$$3\overline{)20.7}$$

4

$$7\overline{)29.4}$$

5

$$16\overline{)36.8}$$

6

$$5\overline{)43.5}$$

7

$$6\overline{)43.8}$$

8

$$2\overline{)53.6}$$

9

$$8\overline{)58.4}$$

10

$$19\overline{)64.6}$$

11

$$9\overline{)76.5}$$

12

$$5\overline{)82.5}$$

13

$$16\overline{)83.2}$$

14

$$4\overline{)97.2}$$

15 $5.6 \div 2$

16 $23.1 \div 11$

17 $44.8 \div 7$

18 $56.7 \div 9$

19 $73.4 \div 2$

20 $74.4 \div 8$

21 $81.6 \div 6$

연산 in 문장제

우유 22.5 L를 9일 동안 매일 똑같이 나누어 마셨습니다. 하루에 마신 우유는 몇 L인지 구해 보세요.

$$22.5 \div 9 = 2.5 \text{(L)}$$

우유의 양   우유를 마신   하루에 마신
　　　　　 날 수   　　　　우유의 양

```
       2 . 5
  9 ) 2 2 . 5
       1 8
         4 5
         4 5
           0
```

---

22 물 14.8 L를 병 4개에 똑같이 나누어 담았습니다. 병 한 개에 담은 물은 몇 L인지 구해 보세요.

답 _____

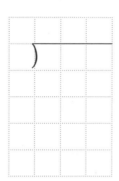

---

23 철사 31.8 cm를 겹치지 않게 남김없이 사용하여 정육각형 한 개를 만들었습니다. 정육각형의 한 변의 길이는 몇 cm인지 구해 보세요.

답 _____

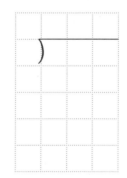

---

24 무게가 같은 구슬 8개의 무게는 57.6 g입니다. 구슬 한 개의 무게는 몇 g인지 구해 보세요.

답 _____

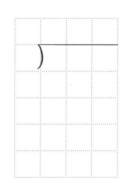

맞힌 개수

개 /24개

나의 학습 결과에 ○표 하세요.

맞힌 개수	0~2개	3~8개	9~22개	23~24개
학습 방법	다시 한번 풀어 봐요.	계산 연습이 필요해요.	틀린 문제를 확인해요.	실수하지 않도록 집중해요.

QR 빠른 정답 확인

07 일차

4. 몫이 소수 두 자리 수인 (소수)÷(자연수) (1)

방법1 분수의 나눗셈으로 바꾸어 계산하기

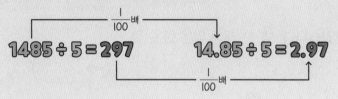

$$14.85 \div 5 = \frac{1485}{100} \div 5 = \frac{1485 \div 5}{100} = \frac{297}{100} = 2.97$$

소수를 분수로 바꾸어요.　　　　　　　　　　분수를 다시 소수로 바꾸어요.

방법2 자연수의 나눗셈을 이용하여 계산하기

$$1485 \div 5 = 297 \qquad 14.85 \div 5 = 2.97$$

$\frac{1}{100}$배

🥕 계산해 보세요.

6　$7.11 \div 3$

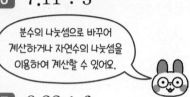
분수의 나눗셈으로 바꾸어 계산하거나 자연수의 나눗셈을 이용하여 계산할 수 있어요.

7　$8.22 \div 6$

8　$11.07 \div 9$

🥕 ☐ 안에 알맞은 수를 써넣으세요.

1　$7.98 \div 2$

$$= \frac{\boxed{}}{100} \div 2$$

$$= \frac{\boxed{}}{100} \div 2$$

$$= \frac{\boxed{}}{100}$$

$$= \boxed{}$$

2　$13.25 \div 5$

$$= \frac{\boxed{}}{100} \div 5$$

$$= \frac{\boxed{}}{100} \div 5$$

$$= \frac{\boxed{}}{100}$$

$$= \boxed{}$$

3　$544 \div 4 = \boxed{}$

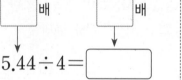

$\boxed{}$배　　$\boxed{}$배

$5.44 \div 4 = \boxed{}$

9　$12.46 \div 7$

4　$2142 \div 6 = \boxed{}$

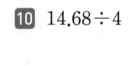

$\boxed{}$배　　$\boxed{}$배

$21.42 \div 6 = \boxed{}$

10　$14.68 \div 4$

11　$17.54 \div 2$

12　$21.65 \div 5$

5　$3888 \div 9 = \boxed{}$

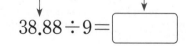

$\boxed{}$배　　$\boxed{}$배

$38.88 \div 9 = \boxed{}$

13　$31.02 \div 6$

14 22.14÷9

21 54.36÷2

28 81.65÷5

15 34.08÷8

22 59.01÷7

29 86.58÷9

16 40.35÷3

23 61.16÷4

30 89.25÷3

17 42.12÷9

24 61.44÷8

31 91.52÷2

18 44.59÷7

25 71.64÷6

32 94.24÷4

19 49.15÷5

26 74.94÷2

33 97.58÷7

20 52.68÷3

27 79.74÷3

34 99.72÷6

4. 몫이 소수 두 자리 수인
(소수)÷(자연수) (1)

🥕 계산해 보세요.

1 5.88÷4

소수를 분수로 바꿀 때
소수 두 자리 수는 분모가
100인 분수로 바꾸어요.

2 8.61÷3

3 11.92÷2

4 19.81÷7

5 25.35÷3

6 28.16÷16

7 37.92÷4

8 41.22÷6

9 43.34÷2

10 44.52÷12

11 46.95÷5

12 51.03÷7

13 52.32÷6

14 58.14÷9

15 59.37÷3

16 61.12÷8

17 63.56÷4

18 68.85÷15

19 69.75÷5

20 76.14÷6

21 79.47÷9

22 83.91÷3

23 96.32÷7

24 97.12÷8

연산 in 문장제

형식이는 같은 빠르기로 9초 동안 49.41 m를 뛰었습니다. 형식이가 1초 동안 뛴 거리는 몇 m인지 구해 보세요.

$$49.41 \div 9 = \frac{4941}{100} \div 9 = \frac{4941 \div 9}{100} = \frac{549}{100} = 5.49 \, (m)$$

뛴 거리　　뛴 시간　　　　　　　　　　　　　　　　　　　　1초 동안 뛴 거리

25 물 11.32 L를 물병 4개에 똑같이 나누어 담으려고 합니다. 물병 한 개에 담아야 하는 물은 몇 L인지 구해 보세요.

답

26 무게가 같은 쇠공 6개의 무게는 54.84 kg입니다. 쇠공 한 개의 무게는 몇 kg인지 구해 보세요.

답

27 길이가 65.44 m인 철사를 8도막으로 똑같이 나누었습니다. 철사 한 도막의 길이는 몇 m인지 구해 보세요.

답

28 주스 74.88 L를 3모둠에 똑같이 나누어 주려고 합니다. 한 모둠에 나누어 주어야 하는 주스는 몇 L인지 구해 보세요.

답

29 무게가 같은 호박 7개의 무게는 98.84 kg입니다. 호박 한 개의 무게는 몇 kg인지 구해 보세요.

답

맞힌 개수	나의 학습 결과에 ○표 하세요.				
	맞힌 개수	0~3개	4~11개	12~26개	27~29개
개 /29개	학습 방법	다시 한번 풀어 봐요.	계산 연습이 필요해요.	틀린 문제를 확인해요.	실수하지 않도록 집중해요.

QR 빠른정답 확인

5. 몫이 소수 두 자리 수인 (소수)÷(자연수) (2)

자연수의 나눗셈과 같은 방법으로 계산해요.

몫의 소수점은 나누어지는 수의 소수점 위치에 맞추어 찍어요.

5

$4\overline{)5.32}$

6

$3\overline{)19.35}$

7

$6\overline{)22.92}$

🥕 계산해 보세요.

1

$3\overline{)13.98}$

3

$9\overline{)58.32}$

8

$6\overline{)36.84}$

9

$8\overline{)41.12}$

2

$5\overline{)47.65}$

4

$2\overline{)73.52}$

10

$7\overline{)46.13}$

11

$2\overline{)53.92}$

12
5) 6 2.1 5

13
7) 6 5.9 4

14
2) 7 1.9 8

15
3) 7 5.7 2

16
5) 8 4.1 5

17
9) 8 7.6 6

18
8) 9 1.1 2

19 $6.45 \div 5$

20 $16.52 \div 7$

21 $28.16 \div 8$

22 $33.75 \div 5$

23 $39.16 \div 4$

24 $43.11 \div 3$

25 $49.56 \div 6$

26 $59.82 \div 6$

27 $63.36 \div 4$

28 $65.84 \div 8$

29 $75.78 \div 9$

30 $85.26 \div 7$

31 $93.76 \div 2$

32 $99.36 \div 4$

맞힌 개수				
개 /32개				

나의 학습 결과에 ○표 하세요.

맞힌 개수	0~3개	4~12개	13~29개	30~32개
학습 방법	다시 한번 풀어 봐요.	계산 연습이 필요해요.	틀린 문제를 확인해요.	실수하지 않도록 집중해요.

QR 빠른정답 확인

10일차

🥕 계산해 보세요.

1

2) 3.5 6

2

8) 1 3.4 4

3

6) 2 9.7 6

4

5) 3 2.1 5

5

6) 4 0.6 8

6

5) 4 6.6 5

7

3) 4 9.1 1

8

4) 5 3.7 6

9

9) 5 5.7 1

10

4) 6 1.7 6

11

7) 6 8.3 2

12

5) 7 2.9 5

13

3) 8 8.6 8

14

8) 9 2.1 6

15 8.96÷7

16 20.25÷9

17 25.48÷4

18 35.92÷8

19 42.98÷7

20 65.34÷9

21 81.24÷6

연산 in 문장제

똑같은 양의 물이 담긴 어항 6개에 들어 있는 물의 양은 모두 32.52 L입니다.
어항 한 개에 담긴 물은 몇 L인지 구해 보세요.

$$\underset{\text{물의 양}}{32.52} \div \underset{\text{어항 수}}{6} = \underset{\substack{\text{어항 한 개에} \\ \text{담긴 물의 양}}}{5.42} \, (\text{L})$$

```
        5 . 4 2
  6 ) 3 2 . 5 2
      3 0
        2 5
        2 4
          1 2
          1 2
            0
```

22 무게가 같은 수박 2통의 무게는 15.74 kg입니다. 수박 한 통의 무게는 몇
kg인지 구해 보세요.

자연수의 나눗셈과 같은
방법으로 계산한 다음
몫의 소수점을 찍어요.

답 _____

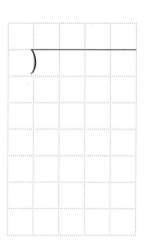

23 주희는 7일 동안 매일 같은 거리를 걸었더니 모두 22.96 km를 걸었습니다.
주희가 하루 동안 걸은 거리는 몇 km인지 구해 보세요.

답 _____

맞힌 개수	나의 학습 결과에 ○표 하세요.				QR 빠른 정답 확인
	맞힌 개수	0~2개	3~8개	9~21개	22~23개	
개 /23개	학습 방법	다시 한번 풀어 봐요.	계산 연습이 필요해요.	틀린 문제를 확인해요.	실수하지 않도록 집중해요.	

6. 몫이 1보다 작은 소수인 (소수)÷(자연수) (1)

11일차

소수를 분수로 바꾸어요.

$$1.6 \div 8 = \frac{16}{10} \div 8 = \frac{16 \div 8}{10} = \frac{2}{10} = 0.2$$

분수를 다시 소수로 바꾸어요.

소수를 분수로 바꾸어요.

$$0.75 \div 3 = \frac{75}{100} \div 3 = \frac{75 \div 3}{100} = \frac{25}{100} = 0.25$$

분수를 다시 소수로 바꾸어요.

 계산해 보세요.

5 $0.8 \div 2$

6 $2.1 \div 3$

7 $2.4 \div 6$

8 $2.8 \div 14$

9 $3.5 \div 5$

10 $3.6 \div 4$

11 $3.8 \div 19$

12 $4.5 \div 15$

 ☐ 안에 알맞은 수를 써넣으세요.

1 $0.6 \div 2$

$$= \frac{\boxed{}}{10} \div 2$$

$$= \frac{\boxed{} \div 2}{10}$$

$$= \frac{\boxed{}}{10} = \boxed{}$$

2 $3.2 \div 4$

$$= \frac{\boxed{}}{10} \div 4$$

$$= \frac{\boxed{} \div 4}{10}$$

$$= \frac{\boxed{}}{10} = \boxed{}$$

3 $0.85 \div 5$

$$= \frac{\boxed{}}{100} \div 5$$

$$= \frac{\boxed{} \div 5}{100}$$

$$= \frac{\boxed{}}{100} = \boxed{}$$

4 $3.01 \div 7$

$$= \frac{\boxed{}}{100} \div 7$$

$$= \frac{\boxed{} \div 7}{100}$$

$$= \frac{\boxed{}}{100} = \boxed{}$$

13 $4.8 \div 8$

20 $0.69 \div 3$

27 $3.84 \div 6$

14 $5.6 \div 7$

21 $0.76 \div 4$

28 $4.41 \div 9$

15 $6.3 \div 9$

22 $0.81 \div 3$

29 $4.85 \div 5$

16 $7.2 \div 8$

23 $1.72 \div 4$

30 $5.39 \div 7$

17 $8.5 \div 17$

24 $2.17 \div 7$

31 $6.64 \div 8$

18 $10.8 \div 18$

25 $2.95 \div 5$

32 $8.01 \div 9$

19 $12.8 \div 16$

26 $3.33 \div 9$

33 $11.28 \div 12$

맞힌 개수	나의 학습 결과에 ○표 하세요.				QR 빠른정답 확인
	맞힌 개수	0~3개	4~13개	14~30개	31~33개	
개 /33개	학습 방법	다시 한번 풀어 봐요.	계산 연습이 필요해요.	틀린 문제를 확인해요.	실수하지 않도록 집중해요.	

6. 몫이 1보다 작은 소수인 (소수)÷(자연수) (1)

🥕 계산해 보세요.

1 0.6÷3

2 1.2÷2

3 2.5÷5

4 3.6÷12

5 4.8÷6

6 5.6÷14

7 8.1÷9

8 13.3÷19

9 0.44÷4

10 0.58÷2

11 1.28÷2

12 1.14÷2

13 1.56÷3

14 1.95÷5

15 2.16÷4

16 2.88÷6

17 3.44÷4

18 4.15÷5

19 5.04÷7

20 5.16÷6

21 6.37÷7

22 6.48÷9

23 6.56÷8

24 7.84÷8

연산 in 문장제

무게가 같은 배 8개의 무게는 5.12 kg입니다. 배 한 개의 무게는 몇 kg인지 구해 보세요.

$$\underset{\substack{\uparrow \\ \text{배의 무게}}}{5.12} \div \underset{\substack{\uparrow \\ \text{배의 수}}}{8} = \frac{512}{100} \div 8 = \frac{512 \div 8}{100} = \frac{64}{100} = \underset{\substack{\uparrow \\ \text{배 한 개의 무게}}}{0.64} \, (\text{kg})$$

25 빵 3개를 만드는 데 우유 0.9 L가 필요합니다. 빵 한 개를 만드는 데 필요한 우유는 몇 L인지 구해 보세요.

 답 _____

26 끈 3.6 m를 6도막으로 똑같이 나누었습니다. 끈 한 도막의 길이는 몇 m인지 구해 보세요.

 답 _____

27 윤수와 정희는 주스 0.24 L를 똑같이 나누어 마셨습니다. 한 사람이 마신 주스는 몇 L인지 구해 보세요.

 답 _____

28 둘레가 2.08 m인 정사각형 모양의 종이가 있습니다. 이 종이의 한 변의 길이는 몇 m인지 구해 보세요.

답 _____

29 무게가 같은 사과 9개를 저울 위에 올려놓았더니 저울의 눈금이 5.67 kg을 가리켰습니다. 사과 한 개의 무게는 몇 kg인지 구해 보세요.

 답 _____

맞힌 개수	나의 학습 결과에 ○표 하세요.				QR 빠른정답 확인
	맞힌 개수	0~3개	4~11개	12~26개	27~29개	
개 /29개	학습 방법	다시 한번 풀어 봐요.	계산 연습이 필요해요.	틀린 문제를 확인해요.	실수하지 않도록 집중해요.	

13 일차

7. 몫이 1보다 작은 소수인 (소수)÷(자연수) (2)

```
    0.9
  2)1.8
    1 8
      0
```

```
    0.8 3
  4)3.3 2
    3 2
      1 2
      1 2 0
        0
```

나누어지는 수가 나누는 수보다 작으면 몫이 1보다 작으므로 몫의 자연수 자리에 0을 쓰고 소수점을 찍은 다음 자연수의 나눗셈과 같은 방법으로 계산해요.

7
```
2)0.4
```

8
```
6)1.2
```

 계산해 보세요

1
```
3)1.5
```

4
```
4)0.6 4
```

9
```
3)2.7
```

10
```
13)3.9
```

2
```
6)5.4
```

5
```
8)3.6 8
```

11
```
7)4.2
```

12
```
9)4.5
```

3
```
1 2)9.6
```

6
```
6)5.7 6
```

13
```
8)6.4
```

14 18$\overline{)7.2}$

15 15$\overline{)7.5}$

16 12$\overline{)8.4}$

17 17$\overline{)1\,0.2}$

18 15$\overline{)1\,0.5}$

19 14$\overline{)1\,1.2}$

20 19$\overline{)1\,7.1}$

21 4$\overline{)0.5\,2}$

22 2$\overline{)0.7\,8}$

23 6$\overline{)0.9\,6}$

24 7$\overline{)1.3\,3}$

25 6$\overline{)1.8\,6}$

26 3$\overline{)2.2\,2}$

27 5$\overline{)3.6\,5}$

28 11$\overline{)3.8\,5}$

29 7$\overline{)5.2\,5}$

30 8$\overline{)5.3\,6}$

31 9$\overline{)5.5\,8}$

32 7$\overline{)6.2\,3}$

33 8$\overline{)7.6\,8}$

34 16$\overline{)1\,4.8\,8}$

맞힌 개수		나의 학습 결과에 ○표 하세요.			
	맞힌 개수	0~3개	4~13개	14~31개	32~34개
개 /34개	학습 방법	다시 한번 풀어 봐요.	계산 연습이 필요해요.	틀린 문제를 확인해요.	실수하지 않도록 집중해요.

QR 빠른 정답 확인

14일차

7. 몫이 1보다 작은 소수인 (소수)÷(자연수) (2)

🥕 계산해 보세요.

1
$$2 \overline{)1.6}$$

(소수)÷(자연수)에서
(소수)<(자연수)이면
몫이 1보다 작아요.

2
$$18 \overline{)3.6}$$

3
$$6 \overline{)4.2}$$

4
$$5 \overline{)4.5}$$

5
$$9 \overline{)5.4}$$

6
$$13 \overline{)6.5}$$

7
$$14 \overline{)9.8}$$

8
$$2 \overline{)0.7\,2}$$

9
$$2 \overline{)1.0\,8}$$

10
$$6 \overline{)2.9\,4}$$

11
$$8 \overline{)3.5\,2}$$

12
$$5 \overline{)4.2\,5}$$

13
$$8 \overline{)6.9\,6}$$

14
$$9 \overline{)8.5\,5}$$

15 $2.4 \div 4$

16 $14.4 \div 16$

17 $15.3 \div 17$

18 $0.54 \div 2$

19 $4.86 \div 6$

20 $9.35 \div 17$

21 $11.96 \div 13$

연산 in 문장제

무게가 같은 그릇 5개의 무게는 2.05 kg입니다. 그릇 한 개의 무게는 몇 kg인지 구해 보세요.

$$\underset{\text{그릇의 무게}}{\underline{2.05}} \div \underset{\text{그릇 수}}{\underline{5}} = \underset{\substack{\text{그릇 한 개의}\\\text{무게}}}{\underline{0.41}} \,(\text{kg})$$

```
      0 . 4 1
5 ) 2 . 0 5
    2 0
          5
          5
          0
```

22 무게가 2.45 kg인 방울토마토를 상자 7개에 똑같이 나누어 담으려고 합니다. 상자 한 개에 담아야 하는 방울토마토의 무게는 몇 kg인지 구해 보세요.

답 _____

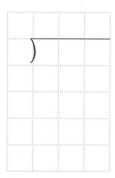

23 윤정이는 3일 동안 매일 같은 거리를 걸었더니 모두 2.94 km를 걸었습니다. 윤정이가 하루 동안 걸은 거리는 몇 km인지 구해 보세요.

답 _____

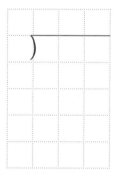

24 윤희는 리본 끈 4.02 m를 6도막으로 똑같이 나누어 그중 한 도막으로 선물을 포장했습니다. 윤희가 선물을 포장하는 데 사용한 리본 끈의 길이는 몇 m인지 구해 보세요.

답 _____

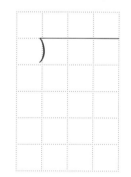

맞힌 개수	나의 학습 결과에 ○표 하세요.				QR 빠른 정답 확인
	맞힌 개수	0~2개	3~8개	9~22개	23~24개	
개 /24개	학습 방법	다시 한번 풀어 봐요.	계산 연습이 필요해요.	틀린 문제를 확인해요.	실수하지 않도록 집중해요.	

연산&문장제 마무리

🥕 계산해 보세요.

1 $4.2 \div 3$

2 $5.2 \div 2$

3 $6.5 \div 5$

4 $7.2 \div 4$

5 $11.5 \div 5$

6 $20.3 \div 7$

7 $23.1 \div 3$

8 $33.6 \div 8$

9 $43.4 \div 7$

10 $87.3 \div 9$

11 $95.4 \div 6$

12 $134.5 \div 5$

13 $212.8 \div 8$

14 $289.8 \div 9$

15 $7.62 \div 6$

16 $10.26 \div 9$

17 $11.52 \div 2$

18 $15.32 \div 4$

19 $19.11 \div 3$

20 $21.12 \div 8$

21 $30.16 \div 4$

22 $31.98 \div 6$

30 $1.2 \div 4$

38 $1.52 \div 4$

23 $39.84 \div 4$

31 $1.8 \div 3$

39 $2.35 \div 5$

24 $43.19 \div 7$

32 $2.8 \div 7$

40 $3.44 \div 8$

25 $59.14 \div 2$

33 $3.6 \div 9$

41 $4.56 \div 6$

26 $62.72 \div 8$

34 $4.8 \div 16$

42 $6.21 \div 9$

27 $71.25 \div 5$

35 $5.4 \div 27$

43 $6.63 \div 13$

28 $74.88 \div 9$

36 $9.5 \div 19$

44 $12.81 \div 21$

29 $89.84 \div 8$

37 $13.5 \div 15$

45 $22.25 \div 25$

 연산&문장제 마무리

46 밀가루 7.2 kg을 2통에 똑같이 나누어 담으려고 합니다. 한 통에 담아야 하는 밀가루는 몇 kg인지 구해 보세요.

답 _____

47 털실 18.5 m를 똑같이 5도막으로 나누었습니다. 털실 한 도막의 길이는 몇 m인지 구해 보세요.

답 _____

48 민정이는 3일 동안 매일 같은 거리를 걸었더니 모두 4.32 km를 걸었습니다. 민정이가 하루 동안 걸은 거리는 몇 km인지 구해 보세요.

답 _____

49 어느 농장에서 딸기 12.95 kg을 수확하여 상자 7개에 똑같이 나누어 담았습니다. 상자 한 개에 담은 딸기의 무게는 몇 kg인지 구해 보세요.

답 _____

50 작은 주머니 9개를 묶는 데 사용한 끈의 길이는 86.13 cm입니다. 주머니를 묶는 데 사용한 끈의 길이가 같다면 주머니 한 개를 묶는 데 사용한 끈의 길이는 몇 cm인지 구해 보세요.

답 _____

51 실 11.4 m로 똑같은 팔찌 19개를 만들었습니다. 팔찌 한 개를 만드는 데 사용한 실의 길이는 몇 m인지 구해 보세요.

답 _____

52 주스 3.84 L를 16명이 똑같이 나누어 마시려고 합니다. 한 사람이 마실 수 있는 주스는 몇 L인지 구해 보세요.

답 _____

연산 노트

맞힌 개수	나의 학습 결과에 ○표 하세요.				QR 빠른 정답 확인
	맞힌 개수	0~5개	6~21개	22~47개	48~52개
개 /52개	학습 방법	다시 한번 풀어 봐요.	계산 연습이 필요해요.	틀린 문제를 확인해요.	실수하지 않도록 집중해요.

4

소수의 나눗셈 (2)

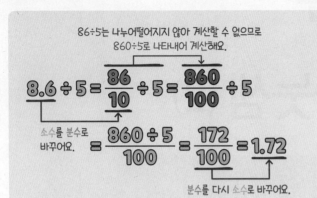

86÷5는 나누어떨어지지 않아 계산할 수 없으므로
860÷5로 나타내어 계산해요.

$$8.6 \div 5 = \frac{86}{10} \div 5 = \frac{860}{100} \div 5$$

소수를 분수로 바꾸어요. $= \frac{860 \div 5}{100} = \frac{172}{100} = 1.72$

분수를 다시 소수로 바꾸어요.

🐷 계산해 보세요.

4 $0.8 \div 5$

5 $1.9 \div 2$

6 $3.6 \div 8$

🥕 ☐ 안에 알맞은 수를 써넣으세요.

1 $3.3 \div 6 = \dfrac{\boxed{}}{10} \div 6 = \dfrac{\boxed{}}{100} \div 6$

$= \dfrac{\boxed{} \div 6}{100} = \dfrac{\boxed{}}{100}$

$= \boxed{}$

7 $4.4 \div 20$

8 $8.1 \div 6$

2 $7.4 \div 5 = \dfrac{\boxed{}}{10} \div 5 = \dfrac{\boxed{}}{100} \div 5$

$= \dfrac{\boxed{} \div 5}{100} = \dfrac{\boxed{}}{100}$

$= \boxed{}$

9 $13.5 \div 18$

10 $15.4 \div 4$

3 $3.48 \div 8$

$= \dfrac{\boxed{}}{100} \div 8 = \dfrac{\boxed{}}{1000} \div 8$

$= \dfrac{\boxed{} \div 8}{1000} = \dfrac{\boxed{}}{1000}$

$= \boxed{}$

11 $23.7 \div 15$

12 $27.3 \div 35$

19 $0.56 \div 5$

26 $10.92 \div 8$

13 $30.1 \div 14$

20 $0.92 \div 8$

27 $13.38 \div 12$

14 $33.5 \div 25$

21 $1.11 \div 6$

28 $19.74 \div 5$

15 $41.2 \div 8$

22 $2.88 \div 5$

29 $28.44 \div 24$

16 $56.1 \div 15$

23 $5.79 \div 15$

30 $39.42 \div 4$

17 $61.3 \div 5$

24 $8.46 \div 4$

31 $48.36 \div 15$

18 $97.5 \div 6$

25 $9.48 \div 15$

32 $62.18 \div 5$

맞힌 개수	나의 학습 결과에 ○표 하세요.			
	맞힌 개수	0~3개	4~12개	13~29개	30~32개
개 /32개	학습 방법	다시 한번 풀어 봐요.	계산 연습이 필요해요.	틀린 문제를 확인해요.	실수하지 않도록 집중해요.

QR 빠른정답 확인

1. 소수점 아래 0을 내려 계산해야 하는 (소수)÷(자연수) (1)

🥕 계산해 보세요.

1 0.9÷6

2 2.1÷5

3 4.7÷2

4 6.9÷15

5 9.4÷4

6 16.2÷12

7 19.5÷25

8 22.5÷18

9 33.8÷4

10 36.9÷5

11 41.3÷5

12 49.2÷8

13 55.2÷16

14 68.5÷25

15 73.5÷14

16 86.1÷15

17 0.71÷5

2.8÷16에서 2.8을
$\frac{28}{10}$, $\frac{280}{100}$, $\frac{2800}{1000}$, …
으로 바꾸어요.

18 2.8÷16

19 6.93÷5

20 17.56÷8

21 23.76÷15

22 37.38÷12

23 46.13÷14

24 63.9÷20

연산 in 문장제

딸기 $4.3\,kg$을 두 가족이 똑같이 나누어 가지려고 합니다. 한 가족이 가질 수 있는 딸기의 무게는 몇 kg인지 구해 보세요.

$$4.3 \div 2 = \frac{43}{10} \div 2 = \frac{430}{100} \div 2 = \frac{430 \div 2}{100} = \frac{215}{100} = 2.15\,(kg)$$

딸기의 무게   가족 수   한 가족이 가질 수 있는 딸기의 무게

25 상추 $1.2\,kg$을 종이봉투 5장에 똑같이 나누어 담으려고 합니다. 종이봉투 한 장에 담아야 하는 상추는 몇 kg인지 구해 보세요.

답 _____

26 물 $6.3\,L$를 학생 14명에게 똑같이 나누어 주려고 합니다. 학생 한 명에게 주어야 하는 물은 몇 L인지 구해 보세요.

답 _____

27 크기가 같은 정사각형 모양의 색종이 15장의 넓이의 합은 $18.3\,cm^2$입니다. 이 정사각형 모양의 색종이 한 장의 넓이는 몇 cm^2인지 구해 보세요.

답 _____

28 리본 끈 $22.9\,m$를 20도막으로 똑같이 나누었습니다. 리본 끈 한 도막의 길이는 몇 m인지 구해 보세요.

답 _____

29 형식이의 몸무게는 $26.92\,kg$입니다. 형식이의 몸무게가 반려견의 몸무게의 8배일 때, 반려견의 몸무게는 몇 kg인지 구해 보세요.

답 _____

맞힌 개수	나의 학습 결과에 ○표 하세요.				QR 빠른정답 확인
	맞힌 개수	0~3개	4~11개	12~26개	27~29개	
개 /29개	학습 방법	다시 한번 풀어 봐요.	계산 연습이 필요해요.	틀린 문제를 확인해요.	실수하지 않도록 집중해요.	

2. 소수점 아래 0을 내려 계산해야 하는 (소수)÷(자연수) (2)

(소수)÷(자연수)의 계산에서 나누어떨어지지 않는 경우 나누어지는 수의 끝자리에 0이 계속 있는 것으로 생각하고 0을 내려 계산해요.

🥕 계산해 보세요.

1

$$5 \overline{)2.2}$$

2

$$6 \overline{)7.5}$$

3

$$4 \overline{)4.54}$$

4

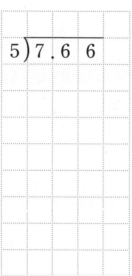

$$5 \overline{)7.66}$$

5

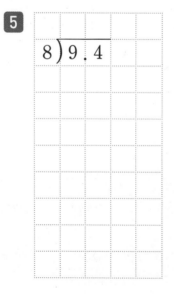

$$8 \overline{)9.4}$$

6

$$2 \overline{)0.7}$$

7

$$6 \overline{)6.9}$$

8

$$5 \overline{)13.2}$$

9

$$5 \overline{)25.7}$$

10

$$14 \overline{)48.3}$$

11

$$4 \overline{)69.4}$$

12

$$35 \overline{)92.4}$$

13

$$12\overline{)2.2\ 2}$$

14

$$5\overline{)2.8\ 2}$$

15

$$15\overline{)5.5\ 8}$$

16

$$4\overline{)1\ 2.5\ 4}$$

17

$$8\overline{)1\ 8.9\ 2}$$

18

$$6\overline{)2\ 8.2\ 9}$$

19

$$12\overline{)3\ 8.3\ 4}$$

20 $3.9 \div 5$

21 $10.5 \div 2$

22 $17.5 \div 14$

23 $34.4 \div 16$

24 $51.3 \div 6$

25 $78.3 \div 2$

26 $80.4 \div 15$

27 $4.7 \div 4$

28 $8.26 \div 5$

29 $17.29 \div 14$

30 $21.33 \div 5$

31 $32.56 \div 5$

32 $42.3 \div 20$

33 $43.35 \div 2$

맞힌 개수	나의 학습 결과에 ○표 하세요.				QR 빠른정답 확인
	맞힌 개수	0~3개	4~13개	14~30개	31~33개	
개 /33개	학습 방법	다시 한번 풀어 봐요.	계산 연습이 필요해요.	틀린 문제를 확인해요.	실수하지 않도록 집중해요.	

2. 소수점 아래 0을 내려 계산해야 하는 (소수)÷(자연수) (2)

🥕 계산해 보세요.

1
$$4)\overline{0.6}$$

8
$$8)\overline{1.3\ 2}$$

4.2=4.20=4.200=…
과 같이 소수의 오른쪽 끝자리에
0을 여러 개 붙여도 같은 수예요.

15 $1.5 \div 6$

2
$$2)\overline{2.7}$$

9
$$24)\overline{4.2}$$

16 $6.2 \div 5$

3
$$8)\overline{4.4}$$

10
$$4)\overline{8.7\ 8}$$

17 $32.1 \div 15$

4
$$8)\overline{1\ 7.2}$$

11
$$8)\overline{1\ 1.8\ 8}$$

18 $38.7 \div 2$

5
$$5)\overline{2\ 1.6}$$

12
$$5)\overline{2\ 3.7\ 2}$$

19 $0.81 \div 6$

6
$$6)\overline{4\ 5.9}$$

13
$$18)\overline{3\ 9.1\ 5}$$

20 $3.09 \div 5$

7
$$14)\overline{6\ 2.3}$$

14
$$20)\overline{4\ 4.7}$$

21 $37.92 \div 15$

연산 in 문장제

철사 12.66 cm를 겹치지 않게 남김없이 사용하여 정사각형 한 개를 만들었습니다. 정사각형의 한 변의 길이는 몇 cm인지 구해 보세요.

$$12.66 \div 4 = 3.165 \text{(cm)}$$

↑ 철사의 길이   ↑ 정사각형의 변의 수   ↑ 정사각형의 한 변의 길이

```
            3. 1 6 5
      4 ) 1 2. 6 6
          1 2
              6
              4
              2 6
              2 4
                2 0
                2 0
                  0
```

---

22 귤 6.35 kg을 상자 2개에 똑같이 나누어 담으려고 합니다. 상자 한 개에 담아야 하는 귤의 무게는 몇 kg인지 구해 보세요.

 소수점 아래에서 나누어떨어지지 않으면 나누어지는 수의 끝자리에 0이 계속 있는 것으로 생각하고 0을 내려 계산해요.

답 _____

---

23 수조에 들어 있는 물 33.08 L를 병 8개에 똑같이 나누어 담았습니다. 병 한 개에 담은 물은 몇 L인지 구해 보세요.

답 _____

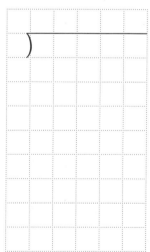

맞힌 개수	나의 학습 결과에 ○표 하세요.				QR 빠른정답 확인
	맞힌 개수	0~2개	3~8개	9~21개	22~23개	
개 /23개	학습 방법	다시 한번 풀어 봐요.	계산 연습이 필요해요.	틀린 문제를 확인해요.	실수하지 않도록 집중해요.	

3. 몫의 소수 첫째 자리에 0이 있는 (소수)÷(자연수) (1)

소수를 분수로 바꾸어요.

$$5.15 \div 5 = \frac{515}{100} \div 5$$

$$= \frac{515 \div 5}{100}$$

$$= \frac{103}{100} = 1.03$$

분수를 다시 소수로 바꾸어요.

 계산해 보세요.

4 $3.12 \div 3$

5 $4.36 \div 4$

6 $6.36 \div 6$

🥕 ☐ 안에 알맞은 수를 써넣으세요.

1 $2.12 \div 2 = \dfrac{\boxed{}}{100} \div 2$

$$= \dfrac{\boxed{} \div 2}{100} = \dfrac{\boxed{}}{100}$$

$$= \boxed{}$$

7 $7.35 \div 7$

8 $8.14 \div 2$

2 $5.2 \div 5 = \dfrac{\boxed{}}{10} \div 5 = \dfrac{\boxed{}}{100} \div 5$

$$= \dfrac{\boxed{} \div 5}{100} = \dfrac{\boxed{}}{100}$$

$$= \boxed{}$$

9 $9.24 \div 3$

3 $18.3 \div 6$

$$= \dfrac{\boxed{}}{10} \div 6 = \dfrac{\boxed{}}{100} \div 6$$

$$= \dfrac{\boxed{} \div 6}{100} = \dfrac{\boxed{}}{100}$$

$$= \boxed{}$$

10 $16.32 \div 8$

11 $21.28 \div 7$

12 $25.45 \div 5$

13 $28.32 \div 4$

14 $36.32 \div 4$

15 $40.15 \div 5$

16 $48.36 \div 6$

17 $72.48 \div 8$

18 $81.18 \div 9$

19 $0.2 \div 5$

20 $6.1 \div 2$

21 $8.2 \div 4$

22 $20.4 \div 20$

23 $24.3 \div 6$

24 $30.1 \div 5$

25 $31.5 \div 30$

26 $36.9 \div 18$

27 $45.4 \div 5$

28 $45.9 \div 15$

29 $56.4 \div 8$

30 $60.6 \div 12$

31 $76.5 \div 25$

32 $97.2 \div 24$

맞힌 개수	나의 학습 결과에 ○표 하세요.				QR 빠른정답 확인
	맞힌 개수	0~3개	4~12개	13~29개	30~32개
개 /32개	학습 방법	다시 한번 풀어 봐요.	계산 연습이 필요해요.	틀린 문제를 확인해요.	참 잘했어요.

06 일차

3. 몫의 소수 첫째 자리에 0이 있는 (소수)÷(자연수) (1)

🥕 계산해 보세요.

1 2.16÷2

2 3.15÷3

3 5.35÷5

4 6.12÷6

5 6.27÷3

6 7.56÷7

7 9.45÷9

8 12.27÷3

9 15.15÷3

10 18.54÷6

11 20.15÷5

12 28.49÷7

13 30.18÷6

14 34.85÷17

15 42.14÷7

16 45.63÷9

17 4.1÷2

18 10.3÷5

19 12.6÷12

20 16.2÷15

21 24.2÷4

22 40.8÷20

23 51.5÷25

24 64.8÷16

연산 in 문장제

수정과 10.45 L를 병 5개에 똑같이 나누어 담으려고 합니다. 병 한 개에 담아야 하는 수정과는 몇 L인지 구해 보세요.

$$10.45 \div 5 = \frac{1045}{100} \div 5 = \frac{1045 \div 5}{100} = \frac{209}{100} = 2.09 \,(\text{kg})$$

    ↑ 수정과의 양   ↑ 병의 수   ↑ 한 병에 담아야 하는 수정과의 양

25 콩 12.16 kg을 상자 2개에 똑같이 나누어 담으려고 합니다. 상자 한 개에 담아야 하는 콩의 무게는 몇 kg인지 구해 보세요.

 답 _____

26 간장 27.24 L를 통 3개에 똑같이 나누어 담았습니다. 통 한 개에 담은 간장은 몇 L인지 구해 보세요.

 답 _____

27 어느 만두 가게에서 밀가루 32.28 kg을 4일 동안 매일 똑같이 나누어 사용했습니다. 하루에 사용한 밀가루는 몇 kg인지 구해 보세요.

답 _____

28 길이가 42.7 m인 철근을 14도막으로 똑같이 잘랐습니다. 철근 한 도막의 길이는 몇 m인지 구해 보세요.

 답 _____

29 무게가 같은 연필 6자루의 무게는 54.3 g입니다. 연필 한 자루의 무게는 몇 g인지 구해 보세요.

답 _____

맞힌 개수	나의 학습 결과에 ○표 하세요.				QR 빠른 정답 확인
	맞힌 개수	0~3개	4~11개	12~26개	27~29개	
개 /29개	학습 방법	다시 한번 풀어 봐요.	계산 연습이 필요해요.	틀린 문제를 확인해요.	실수하지 않도록 집중해요.	

07 일차

4. 몫의 소수 첫째 자리에 0이 있는 (소수)÷(자연수) (2)

1<2이므로 몫의 자리에
0을 써요.

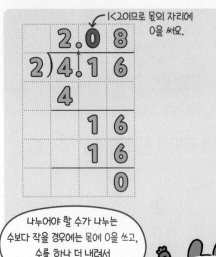

```
      2.0 8
  2)4.1 6
    4
      1 6
      1 6
          0
```

나누어야 할 수가 나누는
수보다 작을 경우에는 몫에 0을 쓰고,
수를 하나 더 내려서
계산해요.

🥕 계산해 보세요.

1
```
2)2.1 8
```

2
```
3)6.1 5
```

3
```
5)5.1
```

4
```
8)1 6.4
```

5
```
1 5)4 6.2
```

6
```
2)4.1 2
```

7
```
6)6.5 4
```

8
```
3)9.1 5
```

9
```
4)1 2.2 8
```

10
```
13)1 3.6 5
```

11
```
4)2 0.3 2
```

12
```
6)3 6.4 2
```

13
$$5 \overline{)5.4}$$

14
$$5 \overline{)10.2}$$

15
$$14 \overline{)14.7}$$

16
$$2 \overline{)16.1}$$

17
$$20 \overline{)20.8}$$

18
$$15 \overline{)30.9}$$

19
$$16 \overline{)32.8}$$

20 $7.42 \div 7$

21 $8.28 \div 4$

22 $10.12 \div 2$

23 $15.45 \div 5$

24 $16.24 \div 8$

25 $21.27 \div 3$

26 $33.55 \div 11$

27 $4.2 \div 4$

28 $15.1 \div 5$

29 $25.1 \div 5$

30 $36.6 \div 12$

31 $41.2 \div 20$

32 $45.1 \div 22$

33 $60.6 \div 15$

맞힌 개수	나의 학습 결과에 ○표 하세요.				QR 빠른 정답 확인
	맞힌 개수	0~3개	4~13개	14~30개	31~33개	
개 /33개	학습 방법	다시 한번 풀어 봐요.	계산 연습이 필요해요.	틀린 문제를 확인해요.	실수하지 않도록 집중해요.	

4. 몫의 소수 첫째 자리에 0이 있는 (소수)÷(자연수) (2)

🥕 계산해 보세요.

1

$$3\overline{)3.2\ 4}$$

2

$$4\overline{)8.3\ 6}$$

3

$$6\overline{)1\ 2.3\ 6}$$

4

$$8\overline{)2\ 4.1\ 6}$$

5

$$13\overline{)2\ 6.6\ 5}$$

6

$$17\overline{)5\ 1.6\ 8}$$

7

$$2\overline{)2.1}$$

8

$$5\overline{)1\ 5.3}$$

9

$$15\overline{)1\ 5.9}$$

10

$$5\overline{)2\ 5.3}$$

11

$$2\overline{)2\ 8.1}$$

12

$$20\overline{)4\ 1.6}$$

13 $9.27 \div 9$

14 $16.36 \div 4$

15 $19.95 \div 19$

16 $20.2 \div 5$

17 $36.3 \div 6$

18 $57.4 \div 28$

연산 in 문장제

밤나무에서 수확한 밤 24.18 kg을 3포대에 똑같이 나누어 담으려고 합니다. 한 포대에 담아야 하는 밤의 무게는 몇 kg인지 구해 보세요.

$$24.18 \div 3 = 8.06 \,(kg)$$

수확한 밤의 무게　포대 수　한 포대에 담아야 하는 밤의 무게

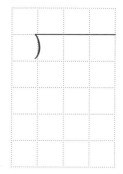

19 길이가 4.28 m인 철사를 4도막으로 똑같이 잘랐습니다. 자른 철사 한 도막의 길이는 몇 m인지 구해 보세요.

답 _____

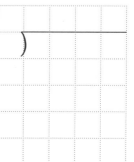

20 넓이가 30.42 m²인 밭을 똑같이 6부분으로 나누어 6종류의 농작물을 각각 심으려고 합니다. 한 종류의 농작물을 심어야 하는 밭의 넓이는 몇 m²인지 구해 보세요.

답 _____

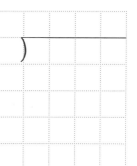

21 과학 시간에 사용할 설탕물 10.4 L를 5모둠에게 똑같이 나누어 주려고 합니다. 한 모둠에 주어야 하는 설탕물은 몇 L인지 구해 보세요.

 답 _____

맞힌 개수	나의 학습 결과에 ○표 하세요.			
	맞힌 개수	0~2개	3~7개	8~19개	20~21개
개 /21개	학습 방법	다시 한번 풀어 봐요.	계산 연습이 필요해요.	틀린 문제를 확인해요.	실수하지 않도록 집중해요.

QR 빠른 정답 확인

5. (자연수)÷(자연수) (1)

$$5 \div 2 = \frac{5}{2} = \frac{5 \times 5}{2 \times 5} = \frac{25}{10} = 2.5$$

→ 분모를 10으로 나타내요.

$$45 \div 12 = \frac{\overset{15}{\cancel{45}}}{\underset{4}{\cancel{12}}} = \frac{15}{4} = \frac{15 \times 25}{4 \times 25}$$

$$= \frac{375}{100} = 3.75$$

→ 분모를 100으로 나타내요.

> 몫을 소수로 나타내려면 분모가 10, 100, 1000, ...인 분수로 나타내야 해요.

🥕 계산해 보세요.

4 $4 \div 5$

5 $14 \div 10$

6 $21 \div 2$

🥕 ⬜ 안에 알맞은 수를 써넣으세요.

1 $13 \div 2 = \dfrac{13}{2} = \dfrac{13 \times \boxed{}}{2 \times \boxed{}}$

$\quad = \dfrac{\boxed{}}{10} = \boxed{}$

7 $2 \div 25$

8 $11 \div 4$

2 $19 \div 4 = \dfrac{19}{4} = \dfrac{19 \times \boxed{}}{4 \times \boxed{}}$

$\quad = \dfrac{\boxed{}}{100} = \boxed{}$

9 $36 \div 50$

10 $5 \div 8$

> 나누는 수가 4, 20, 25이면 분모가 100인 분수로 나타내고 나누는 수가 8, 40, 125이면 분모가 1000인 분수로 나타내는 것이 편리해요.

3 $42 \div 75 = \dfrac{42}{75} = \dfrac{\boxed{}}{25} = \dfrac{\boxed{} \times \boxed{}}{25 \times \boxed{}}$

$\quad = \dfrac{\boxed{}}{100} = \boxed{}$

11 $11 \div 125$

12 $6 \div 15$

13 $12 \div 8$

14 $16 \div 5$

15 $27 \div 15$

16 $33 \div 2$

17 $45 \div 6$

18 $62 \div 4$

19 $4 \div 25$

20 $18 \div 8$

21 $22 \div 50$

22 $24 \div 75$

23 $29 \div 25$

24 $39 \div 12$

25 $84 \div 16$

26 $6 \div 125$

27 $11 \div 8$

28 $21 \div 24$

29 $29 \div 8$

30 $30 \div 16$

31 $39 \div 24$

32 $41 \div 125$

5. (자연수)÷(자연수) (1)

🥕 계산해 보세요.

1 $4 \div 8$

2 $11 \div 5$

3 $22 \div 4$

4 $39 \div 2$

5 $43 \div 2$

6 $52 \div 20$

7 $57 \div 15$

8 $69 \div 6$

9 $3 \div 12$

10 $6 \div 25$

11 $28 \div 16$

12 $29 \div 4$

13 $46 \div 8$

14 $54 \div 50$

15 $61 \div 20$

16 $82 \div 8$

17 $2 \div 16$

18 $3 \div 125$

19 $17 \div 8$

20 $24 \div 125$

21 $45 \div 40$

22 $54 \div 16$

23 $63 \div 24$

24 $92 \div 32$

연산 in 문장제

과학 시간에 사용할 소금물 45 L를 학생 20명에게 똑같이 나누어 주었습니다. 한 학생에게 나누어 준 소금물은 몇 L인지 구해 보세요.

$$45 \div 20 = \frac{45}{20} = \frac{45 \times 5}{20 \times 5} = \frac{225}{100} = 2.25\,(\text{L})$$

소금물의 양　　학생 수　　　　　　　　　　　　　　　　한 학생에게 나누어 준
소금물의 양

25 무게가 같은 참외 5상자의 무게는 9 kg입니다. 참외 한 상자의 무게는 몇 kg인지 구해 보세요.

답 _____

26 미술 시간에 조각상을 만들기 위해 지점토 42 kg을 학생 15명에게 똑같이 나누어 주었습니다. 학생 한 명이 받은 지점토의 무게는 몇 kg인지 구해 보세요.

답 _____

27 색 테이프 3 m를 4명이 똑같이 나누어 가지려고 합니다. 한 명이 가지게 되는 색 테이프의 길이는 몇 m인지 구해 보세요.

답 _____

28 윤석이는 자전거를 매일 같은 거리만큼씩 12일 동안 51 km 탔습니다. 하루에 자전거를 탄 거리는 몇 km인지 구해 보세요.

답 _____

29 주스 30 L를 컵 48개에 똑같이 나누어 담았습니다. 컵 한 개에 담은 주스는 몇 L인지 구해 보세요.

답 _____

맞힌 개수	나의 학습 결과에 ○표 하세요.				QR 빠른 정답 확인
	맞힌 개수	0~3개	4~11개	12~26개	27~29개	
개 /29개	학습 방법	다시 한번 풀어 봐요.	계산 연습이 필요해요.	틀린 문제를 확인해요.	실수하지 않도록 집중해요.	

11 일차

6. (자연수) ÷ (자연수) (2)

```
        5. 7 5
   4) 2 3. 0 0
      2 0
        3 0
        2 8
          2 0
          2 0
            0
```

몫의 소수점은 자연수 바로 뒤에 올려서 찍고, 소수점 아래에 0을 내려서 계산해요.

🥕 계산해 보세요.

1
```
2) 7
```

2

```
8) 2 3
```

3
```
4) 6
```

4
```
5) 7
```

5
```
2) 1 7
```

6
```
12) 1 8
```

7
```
5) 1 9
```

8
```
15) 2 4
```

9
```
10) 2 6
```

10
```
6) 2 7
```

11
```
20) 3 2
```

12
```
15) 3 3
```

13
```
14) 3 5
```

14
```
8) 4 4
```

15
```
15) 5 4
```

16
```
6) 7 5
```

17
$$25\overline{)8}$$

24
$$4\overline{)3\,7}$$

31
$$8\overline{)7}$$

18
$$8\overline{)1\,0}$$

25
$$20\overline{)4\,1}$$

32
$$16\overline{)1\,0}$$

19
$$16\overline{)1\,2}$$

26
$$8\overline{)5\,4}$$

33
$$125\overline{)2\,1}$$

20
$$12\overline{)2\,1}$$

27
$$20\overline{)5\,5}$$

34
$$24\overline{)2\,7}$$

21
$$4\overline{)2\,5}$$

28
$$25\overline{)7\,1}$$

35
$$16\overline{)3\,8}$$

22
$$12\overline{)2\,7}$$

29
$$25\overline{)7\,6}$$

36
$$24\overline{)5\,1}$$

23
$$50\overline{)3\,2}$$

30
$$8\overline{)9\,0}$$

37
$$32\overline{)5\,2}$$

맞힌 개수	나의 학습 결과에 ○표 하세요.				QR 빠른정답 확인
	맞힌 개수	0~4개	5~15개	16~33개	34~37개
개 /37개	학습 방법	다시 한번 풀어 봐요.	계산 연습이 필요해요.	틀린 문제를 확인해요.	실수하지 않도록 집중해요.

🥕 계산해 보세요.

1
$5\overline{)2}$

2
$2\overline{)11}$

3
$8\overline{)20}$

4
$6\overline{)21}$

5
$4\overline{)26}$

6
$8\overline{)36}$

7
$4\overline{)1}$

8
$50\overline{)6}$

9
$25\overline{)9}$

10
$4\overline{)17}$

11
$8\overline{)22}$

12
$16\overline{)76}$

13
$8\overline{)3}$

14
$32\overline{)4}$

15
$24\overline{)15}$

16
$125\overline{)18}$

17
$16\overline{)50}$

18
$32\overline{)60}$

연산 in 문장제

10 km인 길을 4명이 똑같이 나누어 이어달리려고 합니다. 한 명이 달려야 하는 거리는 몇 km인지 구해 보세요.

$$10 \div 4 = 2.5 \,(\text{km})$$

전체 거리   사람 수   한 명이
달려야 하는
거리

```
        2 . 5
  4 ) 1 0
        8
        2 0
        2 0
          0
```

19 밤 13 kg을 5포대에 똑같이 나누어 담으려고 합니다. 한 포대에 담아야 하는 밤의 무게는 몇 kg인지 구해 보세요.

답 _____

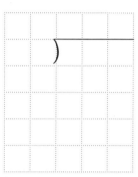

20 우유 6 L를 8명이 똑같이 나누어 마시려고 합니다. 한 명이 마시는 우유는 몇 L인지 구해 보세요.

답 _____

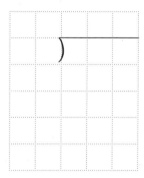

21 버터 8 kg을 통 50개에 똑같이 나누어 담으려고 합니다. 통 한 개에 담아야 하는 버터는 몇 kg인지 구해 보세요.

답 _____

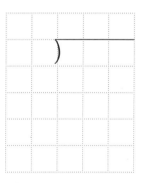

맞힌 개수	나의 학습 결과에 ○표 하세요.				QR 빠른 정답 확인
	맞힌 개수	0~2개	3~7개	8~19개	20~21개	
개 /21개	학습 방법	다시 한번 풀어 봐요.	계산 연습이 필요해요.	틀린 문제를 확인해요.	실수하지 않도록 집중해요.	

연산 & 문장제 마무리

🥕 계산해 보세요.

1 $7.3 \div 5$

2 $10.8 \div 8$

3 $16.1 \div 14$

4 $19.2 \div 15$

5 $22.6 \div 4$

6 $41.4 \div 12$

7 $52.5 \div 6$

8 $0.78 \div 5$

9 $6.23 \div 2$

10 $13.62 \div 12$

11 $29.89 \div 14$

12 $35.94 \div 4$

13 $58.35 \div 6$

14 $73.41 \div 5$

15 $9.27 \div 3$

16 $16.14 \div 2$

17 $18.15 \div 3$

18 $35.15 \div 5$

19 $36.16 \div 4$

20 $51.85 \div 17$

21 $60.75 \div 15$

22 $5.3 \div 5$

23 $8.4 \div 8$

24 $12.3 \div 6$

25 $21.6 \div 20$

26 $25.2 \div 5$

27 $31.2 \div 15$

28 $40.4 \div 5$

29 $73.2 \div 24$

30 $14 \div 4$

31 $18 \div 15$

32 $25 \div 2$

33 $39 \div 6$

34 $60 \div 8$

35 $63 \div 5$

36 $12 \div 25$

37 $26 \div 8$

38 $33 \div 12$

39 $41 \div 25$

40 $51 \div 25$

41 $9 \div 8$

42 $12 \div 125$

43 $19 \div 8$

44 $45 \div 24$

45 $58 \div 16$

연산&문장제 마무리

46 콩 1.7 kg을 바구니 5개에 똑같이 나누어 담으려고 합니다. 바구니 한 개에 담아야 하는 콩의 무게는 몇 kg인지 구해 보세요.

답 _____

47 윤기네 가족은 쌀 57.58 kg을 4주 동안 똑같이 나누어 먹었습니다. 윤기네 가족이 1주 동안 먹은 쌀의 무게는 몇 kg인지 구해 보세요.

답 _____

48 윤희네 가족이 3일 동안 마신 물은 모두 15.18 L입니다. 매일 같은 양의 물을 마셨다면 윤희네 가족이 하루에 마신 물은 몇 L인지 구해 보세요.

답 _____

49 아크릴 실 6.3 m를 똑같이 나누어 수세미 6개를 만들었습니다. 수세미 한 개를 만드는 데 사용한 아크릴 실의 길이는 몇 m인지 구해 보세요.

답 _____

50 길이가 21 m인 나무 도막을 15도막으로 똑같이 잘랐습니다. 자른 나무 도막 한 개의 길이는 몇 m인지 구해 보세요.

답 _____

51 넓이가 27 m²이고, 가로가 4 m인 직사각형 모양의 땅이 있습니다. 이 직사각형 모양의 땅의 세로는 몇 m인지 구해 보세요.

답 _____

52 무게가 같은 추 8개의 무게는 35 g입니다. 추 한 개의 무게는 몇 g인지 구해 보세요.

답 _____

연산 노트

맞힌 개수	나의 학습 결과에 ○표 하세요.				
	맞힌 개수	0~5개	6~21개	22~47개	48~52개
개 /52개	학습 방법	다시 한번 풀어 봐요.	계산 연습이 필요해요.	틀린 문제를 확인해요.	실수하지 않도록 집중해요.

QR 빠른정답 확인

5

비와 비율

01 일차 1. 비로 나타내기

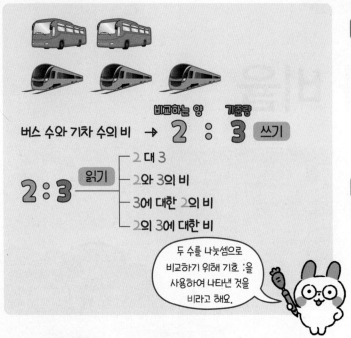

버스 수와 기차 수의 비 → 2 : 3 쓰기

비교하는 양 기준량

읽기

2 : 3

- 2 대 3
- 2와 3의 비
- 3에 대한 2의 비
- 2의 3에 대한 비

두 수를 나눗셈으로 비교하기 위해 기호 :을 사용하여 나타낸 것을 비라고 해요.

그림을 보고 ☐ 안에 알맞은 수를 써넣으세요.

1

축구공 수와 농구공 수의 비

➡ ☐ : ☐

2
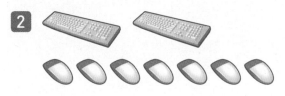

마우스 수에 대한 키보드 수의 비

➡ ☐ : ☐

3

지우개 수와 연필 수의 비

➡ ☐ : ☐

4

사탕 수에 대한 초콜릿 수의 비

➡ ☐ : ☐

'▲에 대한'으로 읽을 때 ▲가 기준이므로 기호 :의 오른쪽에 써요.

5

강아지 수의 고양이 수에 대한 비

➡ ☐ : ☐

6

사과 수와 배 수의 비

➡ ☐ : ☐

7

가지 수에 대한 오이 수의 비

➡ ☐ : ☐

8

바지 수의 티셔츠 수에 대한 비

➡ ☐ : ☐

🐿 다음을 기호 :을 사용하여 나타내어 보세요.

9   5 대 7
➡ (   )

16   7과 10의 비
➡ (   )

23   18에 대한 25의 비
➡ (   )

10   9 대 4
➡ (   )

17   14와 5의 비
➡ (   )

24   15에 대한 29의 비
➡ (   )

11   12 대 11
➡ (   )

18   19와 16의 비
➡ (   )

25   9의 5에 대한 비
➡ (   )

12   16 대 19
➡ (   )

19   27과 25의 비
➡ (   )

26   13의 10에 대한 비
➡ (   )

13   20 대 9
➡ (   )

20   3에 대한 7의 비
➡ (   )

27   18의 19에 대한 비
➡ (   )

14   21 대 28
➡ (   )

21   8에 대한 15의 비
➡ (   )

28   24의 7에 대한 비
➡ (   )

15   6과 13의 비
➡ (   )

22   14에 대한 23의 비
➡ (   )

29   29의 16에 대한 비
➡ (   )

맞힌 개수	나의 학습 결과에 ○표 하세요.			
	맞힌 개수	0～3개	4～11개	12～26개	27～29개
개 /29개	학습 방법	다시 한번 풀어 봐요.	계산 연습이 필요해요.	틀린 문제를 확인해요.	실수하지 않도록 집중해요.

QR 빠른정답 확인

02 일차 1. 비로 나타내기

🥕 ☐ 안에 알맞은 수를 써넣으세요.

1

3 : 7

- ☐ 대 ☐
- ☐ 와/과 ☐ 의 비
- ☐ 에 대한 ☐ 의 비
- ☐ 의 ☐ 에 대한 비

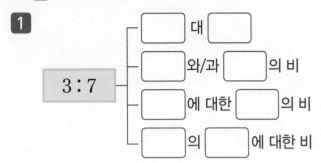

6

20 : 27

- ☐ 대 ☐
- ☐ 와/과 ☐ 의 비
- ☐ 에 대한 ☐ 의 비
- ☐ 의 ☐ 에 대한 비

2

8 : 15

- ☐ 대 ☐
- ☐ 와/과 ☐ 의 비
- ☐ 에 대한 ☐ 의 비
- ☐ 의 ☐ 에 대한 비

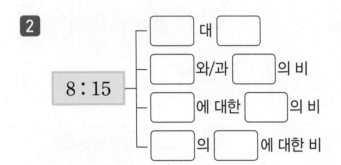

7

22 : 5

- ☐ 대 ☐
- ☐ 와/과 ☐ 의 비
- ☐ 에 대한 ☐ 의 비
- ☐ 의 ☐ 에 대한 비

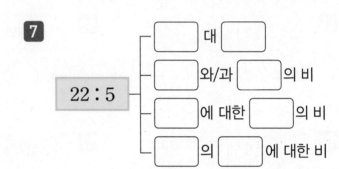

3

11 : 4

- ☐ 대 ☐
- ☐ 와/과 ☐ 의 비
- ☐ 에 대한 ☐ 의 비
- ☐ 의 ☐ 에 대한 비

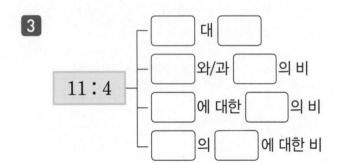

8

26 : 31

- ☐ 대 ☐
- ☐ 와/과 ☐ 의 비
- ☐ 에 대한 ☐ 의 비
- ☐ 의 ☐ 에 대한 비

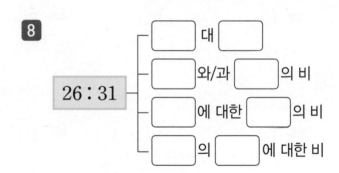

4

14 : 23

- ☐ 대 ☐
- ☐ 와/과 ☐ 의 비
- ☐ 에 대한 ☐ 의 비
- ☐ 의 ☐ 에 대한 비

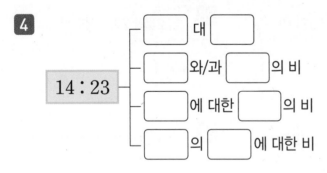

9

28 : 25

- ☐ 대 ☐
- ☐ 와/과 ☐ 의 비
- ☐ 에 대한 ☐ 의 비
- ☐ 의 ☐ 에 대한 비

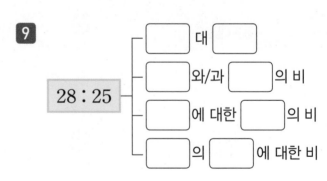

5

16 : 9

- ☐ 대 ☐
- ☐ 와/과 ☐ 의 비
- ☐ 에 대한 ☐ 의 비
- ☐ 의 ☐ 에 대한 비

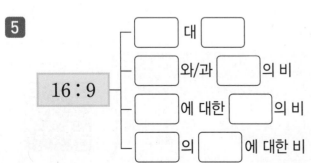

10

32 : 21

- ☐ 대 ☐
- ☐ 와/과 ☐ 의 비
- ☐ 에 대한 ☐ 의 비
- ☐ 의 ☐ 에 대한 비

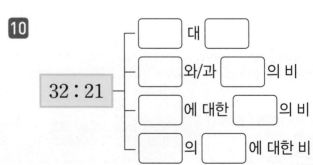

연산 in 문장제

어머니께서 카레를 만드실 때, 크기가 같은 컵으로 카레 가루 1컵, 물 7컵을 넣으셨습니다. 물의 양에 대한 카레 가루의 양의 비를 써 보세요.

비교하는 양	기준량
1	7

물의 양에 대한 카레 가루의 양의 비 ⇨ 1 : 7
비교하는 양 ↗　↖ 기준량

11 준우네 집에 치약 2개와 칫솔 9개가 있습니다. 치약 수와 칫솔 수의 비를 써 보세요.

답 _____

→

비교하는 양	기준량

12 어느 상점에 오토바이 5대와 승용차 4대가 있습니다. 오토바이 수에 대한 승용차 수의 비를 써 보세요.

답 _____

→

비교하는 양	기준량

13 어느 상점에서 구두 6켤레와 운동화 7켤레를 진열했습니다. 구두 수의 운동화 수에 대한 비를 써 보세요.

답 _____

→

비교하는 양	기준량

14 민석이는 할인 매장에서 감자 5개와 고구마 8개를 샀습니다. 민석이가 산 감자 수와 고구마 수의 비를 써 보세요.

답 _____

→

비교하는 양	기준량

15 어느 동물원에 사자 13마리와 호랑이 12마리가 있습니다. 사자 수에 대한 호랑이 수의 비를 써 보세요.

답 _____

→

비교하는 양	기준량

맞힌 개수	나의 학습 결과에 ○표 하세요.				QR 빠른정답 확인
개 /15개	맞힌 개수	0~2개	3~4개	5~13개	14~15개
	학습 방법	다시 한번 풀어 봐요.	계산 연습이 필요해요.	틀린 문제를 확인해요.	실수하지 않도록 집중해요.

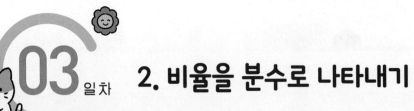

2. 비율을 분수로 나타내기

비교하는 양   기준량
비   3 : 5
↓
비율   비교하는 양 = 3
       기준량   5

기준량에 대한
비교하는 양의 크기를
비율이라고 해요.

비교하는 양과 기준량을 각각 쓰고 비율을 분수로 나타내어 보세요.

1   1 : 4

비교하는 양 (   )
기준량   (   )
비율   (   )

기준량보다 비교하는 양이
더 크면 분자가 분모보다 크므로
비율이 1보다 커요.

2   7 : 5

비교하는 양 (   )
기준량   (   )
비율   (   )

3   14 : 16

비교하는 양 (   )
기준량   (   )
비율   (   )

4   8 대 12

비교하는 양 (   )
기준량   (   )
비율   (   )

5   17 대 3

비교하는 양 (   )
기준량   (   )
비율   (   )

6   9와 13의 비

비교하는 양 (   )
기준량   (   )
비율   (   )

7   12와 5의 비

비교하는 양 (   )
기준량   (   )
비율   (   )

8   17과 20의 비

비교하는 양 (   )
기준량   (   )
비율   (   )

9   17에 대한 21의 비

비교하는 양 (   )
기준량   (   )
비율   (   )

10   24에 대한 8의 비

비교하는 양 (   )
기준량   (   )
비율   (   )

11   31에 대한 32의 비

비교하는 양 (   )
기준량   (   )
비율   (   )

12   13의 19에 대한 비

비교하는 양 (   )
기준량   (   )
비율   (   )

13   21의 25에 대한 비

비교하는 양 (   )
기준량   (   )
비율   (   )

🐿 비율을 분수로 나타내어 보세요.

14 　　　4 : 7

➡ (　　　　　　　)

15 　　　11 : 8

➡ (　　　　　　　)

16 　　　18 : 17

➡ (　　　　　　　)

17 　　　10 대 15

➡ (　　　　　　　)

18 　　　6 대 19

➡ (　　　　　　　)

19 　　　24 대 35

➡ (　　　　　　　)

20 　　17과 10의 비

➡ (　　　　　　　)

21 　　19와 14의 비

➡ (　　　　　　　)

22 　　22와 27의 비

➡ (　　　　　　　)

23 　　30과 7의 비

➡ (　　　　　　　)

24 　24에 대한 17의 비

➡ (　　　　　　　)

25 　30에 대한 12의 비

➡ (　　　　　　　)

26 　32에 대한 19의 비

➡ (　　　　　　　)

27 　40에 대한 31의 비

➡ (　　　　　　　)

28 　23의 18에 대한 비

➡ (　　　　　　　)

29 　21의 10에 대한 비

➡ (　　　　　　　)

30 　26의 30에 대한 비

➡ (　　　　　　　)

31 　32의 45에 대한 비

➡ (　　　　　　　)

맞힌 개수	나의 학습 결과에 ○표 하세요.				QR 빠른정답 확인
	맞힌 개수	0~3개	4~12개	13~28개	29~31개
개 /31개	학습 방법	다시 한번 풀어 봐요.	계산 연습이 필요해요.	틀린 문제를 확인해요.	실수하지 않도록 집중해요.

2. 비율을 분수로 나타내기

🥕 비율을 분수로 나타내어 보세요.

1 1 대 5

➡ (   )

2 3 : 10

➡ (   )

3 8과 5의 비

➡ (   )

4 9의 12에 대한 비

➡ (   )

5 12에 대한 7의 비

➡ (   )

6 16의 11에 대한 비

➡ (   )

7 18과 31의 비

➡ (   )

8 21에 대한 14의 비

➡ (   )

9 23 대 28

➡ (   )

10 24 : 55

➡ (   )

11 26 대 25

➡ (   )

12 29와 33의 비

➡ (   )

13 31 : 38

➡ (   )

14 35의 42에 대한 비

➡ (   )

15 36 : 7

➡ (   )

16 37에 대한 39의 비

➡ (   )

17 40과 44의 비

➡ (   )

18 41 : 50

➡ (   )

19 45의 49에 대한 비

➡ (   )

20 46 대 48

➡ (   )

21 52에 대한 51의 비

➡ (   )

연산 in 문장제

윤희가 동전 한 개를 11번 던졌더니 그림 면이 7번, 숫자 면이 4번 나왔습니다. 그림 면이 나온 횟수와 숫자 면이 나온 횟수의 비율을 분수로 나타내어 보세요.

비교하는 양	:	기준량
7	:	4

비교하는 양 ↘   ↙ 기준량

그림 면이 나온 횟수와 숫자 면이 나온 횟수의 비는 7 : 4입니다.

따라서 그림 면이 나온 횟수와 숫자 면이 나온 횟수의 비율은 $\frac{7}{4}$입니다.

---

22 체육관에 축구공 2개와 농구공 5개가 있습니다. 축구공 수와 농구공 수의 비율을 분수로 나타내어 보세요. →

비교하는 양	:	기준량

답 _____

23 어느 직사각형의 가로는 8 cm, 세로는 3 cm입니다. 이 직사각형의 가로에 대한 세로의 비율을 분수로 나타내어 보세요. →

비교하는 양	:	기준량

답 _____

24 주영이네 반에서 안경을 쓴 학생은 14명, 안경을 쓰지 않은 학생은 9명입니다. 안경을 쓴 학생 수의 안경을 쓰지 않은 학생 수에 대한 비율을 분수로 나타내어 보세요. →

비교하는 양	:	기준량

답 _____

25 검은 바둑돌은 20개, 흰 바둑돌은 25개 있습니다. 검은 바둑돌 수의 흰 바둑돌 수에 대한 비율을 분수로 나타내어 보세요. →

비교하는 양	:	기준량

답 _____

26 영주는 동전 32개를 모았고 그중에서 500원짜리 동전이 27개였습니다. 전체 동전 수에 대한 500원짜리 동전 수의 비율을 분수로 나타내어 보세요. →

비교하는 양	:	기준량

답 _____

맞힌 개수	나의 학습 결과에 ○표 하세요.					QR 빠른 정답 확인

맞힌 개수	0~3개	4~9개	10~23개	24~26개
개 /26개 학습 방법	다시 한번 풀어 봐요.	계산 연습이 필요해요.	틀린 문제를 확인해요.	실수하지 않도록 집중해요.

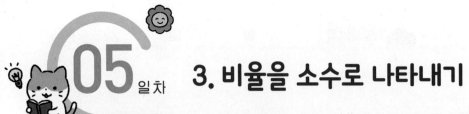

3. 비율을 소수로 나타내기

비 비교하는 양 기준량
3 : 5
↓
비율 비교하는 양÷기준량
=3÷5
=0.6

비를 비율로 나타낼 때 분수나 소수로 나타낼 수 있어요.

🥕 비교하는 양과 기준량을 각각 쓰고 비율을 소수로 나타내어 보세요.

1
15 : 12

비교하는 양 (　　　　)
기준량 　　(　　　　)
비율 　　(　　　　)

기준량보다 비교하는 양이 더 크면 비율이 1보다 커요.

2
23 : 50

비교하는 양 (　　　　)
기준량 　　(　　　　)
비율 　　(　　　　)

3
11 대 2

비교하는 양 (　　　　)
기준량 　　(　　　　)
비율 　　(　　　　)

4
15 대 6

비교하는 양 (　　　　)
기준량 　　(　　　　)
비율 　　(　　　　)

5
19 대 20

비교하는 양 (　　　　)
기준량 　　(　　　　)
비율 　　(　　　　)

6
17과 4의 비

비교하는 양 (　　　　)
기준량 　　(　　　　)
비율 　　(　　　　)

7
21과 40의 비

비교하는 양 (　　　　)
기준량 　　(　　　　)
비율 　　(　　　　)

8
10에 대한 23의 비

비교하는 양 (　　　　)
기준량 　　(　　　　)
비율 　　(　　　　)

9
16에 대한 12의 비

비교하는 양 (　　　　)
기준량 　　(　　　　)
비율 　　(　　　　)

10
25에 대한 31의 비

비교하는 양 (　　　　)
기준량 　　(　　　　)
비율 　　(　　　　)

11
14의 20에 대한 비

비교하는 양 (　　　　)
기준량 　　(　　　　)
비율 　　(　　　　)

12
19의 5에 대한 비

비교하는 양 (　　　　)
기준량 　　(　　　　)
비율 　　(　　　　)

13
28의 35에 대한 비

비교하는 양 (　　　　)
기준량 　　(　　　　)
비율 　　(　　　　)

🐿 비율을 소수로 나타내어 보세요.

14 1 : 8

➡ (　　　　　　)

15 9 : 2

➡ (　　　　　　)

16 20 : 50

➡ (　　　　　　)

17 7 대 28

➡ (　　　　　　)

18 11 대 20

➡ (　　　　　　)

19 18 대 45

➡ (　　　　　　)

20 13과 20의 비

➡ (　　　　　　)

21 15와 4의 비

➡ (　　　　　　)

22 45와 25의 비

➡ (　　　　　　)

23 27과 36의 비

➡ (　　　　　　)

24 15에 대한 12의 비

➡ (　　　　　　)

25 20에 대한 4의 비

➡ (　　　　　　)

26 28에 대한 35의 비

➡ (　　　　　　)

27 50에 대한 30의 비

➡ (　　　　　　)

28 16의 25에 대한 비

➡ (　　　　　　)

29 18의 12에 대한 비

➡ (　　　　　　)

30 23의 40에 대한 비

➡ (　　　　　　)

31 33의 44에 대한 비

➡ (　　　　　　)

맞힌 개수	나의 학습 결과에 ○표 하세요.				QR 빠른 정답 확인
	맞힌 개수	0~3개	4~12개	13~28개	29~31개
개 /31개	학습 방법	다시 한번 풀어 봐요.	계산 연습이 필요해요.	틀린 문제를 확인해요.	실수하지 않도록 집중해요.

06 일차   3. 비율을 소수로 나타내기

🥕 비율을 소수로 나타내어 보세요.

1 3 대 15

➡ (   )

8 21의 5에 대한 비

➡ (   )

15 41의 2에 대한 비

➡ (   )

2 11 : 5

➡ (   )

9 24 대 60

➡ (   )

16 42 : 56

➡ (   )

3 5의 2에 대한 비

➡ (   )

10 10에 대한 25의 비

➡ (   )

17 45와 20의 비

➡ (   )

4 9 : 20

➡ (   )

11 27 대 5

➡ (   )

18 48 대 75

➡ (   )

5 8에 대한 7의 비

➡ (   )

12 29 : 4

➡ (   )

19 50의 40에 대한 비

➡ (   )

6 14의 10에 대한 비

➡ (   )

13 20에 대한 35의 비

➡ (   )

20 52와 5의 비

➡ (   )

7 18과 8의 비

➡ (   )

14 39와 25의 비

➡ (   )

21 88에 대한 55의 비

➡ (   )

연산 in 문장제

연필 10자루와 볼펜 4자루가 있습니다. 연필 수와 볼펜 수의 비율을 소수로 나타내어 보세요.

연필 수와 볼펜 수의 비는 10 : 4입니다.

따라서 연필 수와 볼펜 수의 비율은 10÷4＝2.5입니다.

비교하는 양	:	기준량
10	:	4

22 학교 회장 선거에 후보로 출마한 남학생 수는 3명, 여학생 수는 2명입니다. 남학생 수의 여학생 수에 대한 비율을 소수로 나타내어 보세요.

→

비교하는 양	:	기준량

답 _____

23 상자에 야구공 21개와 배구공 4개가 들어 있습니다. 야구공 수의 배구공 수에 대한 비율을 소수로 나타내어 보세요.

→

비교하는 양	:	기준량

답 _____

24 전체 구슬은 25개이고, 빨간 구슬은 7개입니다. 전체 구슬 수에 대한 빨간 구슬 수의 비율을 소수로 나타내어 보세요.

→

비교하는 양	:	기준량

답 _____

25 어느 상점에 우산 17개와 우비 5벌이 있습니다. 우산 수와 우비 수의 비율을 소수로 나타내어 보세요.

→

비교하는 양	:	기준량

답 _____

26 도넛 25개와 우유 40개가 있습니다. 우유 수에 대한 도넛 수의 비율을 소수로 나타내어 보세요.

→

비교하는 양	:	기준량

답 _____

맞힌 개수

개 /26개

나의 학습 결과에 ○표 하세요.

맞힌 개수	0~3개	4~9개	10~23개	24~26개
학습 방법	다시 한번 풀어 봐요.	계산 연습이 필요해요.	틀린 문제를 확인해요.	실수하지 않도록 집중해요.

QR 빠른 정답 확인

07 일차 연산&문장제 마무리

🥕 다음을 기호 :을 사용하여 나타내어 보세요.

1 1 대 3

➡ (   )

2 3과 11의 비

➡ (   )

3 2에 대한 7의 비

➡ (   )

4 10의 7에 대한 비

➡ (   )

5 15 대 17

➡ (   )

6 17의 15에 대한 비

➡ (   )

7 23에 대한 18의 비

➡ (   )

8 20의 19에 대한 비

➡ (   )

9 25에 대한 22의 비

➡ (   )

10 24와 5의 비

➡ (   )

11 30 대 49

➡ (   )

12 27에 대한 34의 비

➡ (   )

13 37의 38에 대한 비

➡ (   )

14 40과 3의 비

➡ (   )

🥕 비율을 분수로 나타내어 보세요.

15 4 대 11

➡ (   )

16 5의 9에 대한 비

➡ (   )

17 11에 대한 6의 비

➡ (   )

18 10의 3에 대한 비

➡ (   )

19 14 : 18

➡ (   )

20 16과 24의 비

➡ (   )

21 19 대 4

➡ (   )

22 22 : 13

➡ (　　　　　　)

23 24 대 25

➡ (　　　　　　)

24 28 : 9

➡ (　　　　　　)

25 31과 44의 비

➡ (　　　　　　)

26 15에 대한 34의 비

➡ (　　　　　　)

27 36의 42에 대한 비

➡ (　　　　　　)

28 40과 21의 비

➡ (　　　　　　)

29 35에 대한 41의 비

➡ (　　　　　　)

🥕 비율을 소수로 나타내어 보세요.

30 3 : 12

➡ (　　　　　　)

31 7 대 14

➡ (　　　　　　)

32 11의 10에 대한 비

➡ (　　　　　　)

33 12와 75의 비

➡ (　　　　　　)

34 15와 25의 비

➡ (　　　　　　)

35 18 : 4

➡ (　　　　　　)

36 8에 대한 20의 비

➡ (　　　　　　)

37 22의 50에 대한 비

➡ (　　　　　　)

38 25 : 2

➡ (　　　　　　)

39 27과 10의 비

➡ (　　　　　　)

40 30 대 20

➡ (　　　　　　)

41 35 대 14

➡ (　　　　　　)

42 4에 대한 37의 비

➡ (　　　　　　)

43 40과 25의 비

➡ (　　　　　　)

44 42의 28에 대한 비

➡ (　　　　　　)

45 50에 대한 45의 비

➡ (　　　　　　)

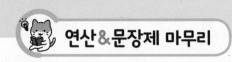
46 윤호는 사탕 13개와 초콜릿 22개를 가지고 있습니다. 사탕 수와 초콜릿 수의 비를 써 보세요.

답 _____

47 민주는 머리핀 4개와 머리끈 3개를 가지고 있습니다. 머리끈 수에 대한 머리핀 수의 비를 써 보세요.

답 _____

48 미술실에 스케치북 9권과 도화지 7장이 있습니다. 도화지 수의 스케치북 수에 대한 비율을 분수로 나타내어 보세요.

답 _____

49 어머니께서 죽을 만들기 위해 쌀 7컵과 물 16컵을 냄비에 넣으셨습니다. 쌀 컵 수에 대한 물 컵 수의 비율을 분수로 나타내어 보세요.

답 _____

50 사과 8개와 배 10개가 있습니다. 사과 수와 배 수의 비율을 소수로 나타내어 보세요.

답 _____

51 어느 문구점에 남은 가위는 16개, 풀은 10개입니다. 풀 수에 대한 가위 수의 비율을 소수로 나타내어 보세요.

답 _____

52 어느 학교의 6학년 1반 남학생 수는 20명, 2반 남학생 수는 16명입니다. 1반 남학생 수의 2반 남학생 수에 대한 비율을 소수로 나타내어 보세요.

답 _____

맞힌 개수	나의 학습 결과에 ○표 하세요.				QR 빠른 정답 확인
	맞힌 개수	0～5개	6～21개	22～47개	48～52개	
개 /52개	학습 방법	다시 한번 풀어 봐요.	계산 연습이 필요해요.	틀린 문제를 확인해요.	실수하지 않도록 집중해요.	

6

백분율

1. 비율을 백분율로 나타내기

$0.41 \rightarrow 0.41 \times 100 = 41(\%)$

$\dfrac{7}{10} \rightarrow \dfrac{7}{10} \times 100 = 70(\%)$

기준량을 100으로 할 때의 비율을 백분율이라고 해요. 백분율은 기호 %를 사용하여 나타내요.

🥕 비율을 백분율로 나타내어 보세요.

1 0.02

➡ (   )

2 0.09

➡ (   )

3 0.1

➡ (   )

4 0.132

➡ (   )

5 0.14

➡ (   )

6 0.17

➡ (   )

7 0.22

➡ (   )

8 0.27

➡ (   )

9 0.38

➡ (   )

10 0.46

➡ (   )

11 0.474

➡ (   )

12 0.58

➡ (   )

13 0.66

➡ (   )

14 0.715

➡ (   )

15 0.76

➡ (   )

16 0.8

➡ (   )

17 0.92

➡ (   )

18 0.97

➡ (   )

19 0.99

➡ (   )

20 $\dfrac{1}{2}$

➡ (   )

21 $\dfrac{2}{5}$

➡ (   )

22 $\dfrac{7}{10}$

➡ (   )

23 $\dfrac{1}{20}$

➡ (   )

24 $\dfrac{9}{20}$

➡ (   )

25 $\dfrac{13}{20}$

➡ (   )

26 $\dfrac{3}{25}$

➡ (   )

27 $\dfrac{6}{25}$

➡ (   )

28 $\dfrac{12}{25}$

➡ (   )

29 $\dfrac{17}{25}$

➡ (   )

30 $\dfrac{22}{25}$

➡ (   )

31 $\dfrac{7}{40}$

➡ (   )

32 $\dfrac{19}{40}$

➡ (   )

33 $\dfrac{23}{40}$

➡ (   )

34 $\dfrac{31}{40}$

➡ (   )

35 $\dfrac{7}{50}$

➡ (   )

36 $\dfrac{13}{50}$

➡ (   )

37 $\dfrac{21}{50}$

➡ (   )

38 $\dfrac{39}{50}$

➡ (   )

39 $\dfrac{9}{100}$

➡ (   )

$\dfrac{\blacksquare}{100}$ 는 $\blacksquare$% 이에요.

40 $\dfrac{27}{100}$

➡ (   )

맞힌 개수

개 /40개

나의 학습 결과에 ○표 하세요.

맞힌 개수	0~4개	5~16개	17~36개	37~40개
학습 방법	다시 한번 풀어 봐요.	계산 연습이 필요해요.	틀린 문제를 확인해요.	실수하지 않도록 집중해요.

QR 빠른 정답 확인

6. 백분율 **141**

1. 비율을 백분율로 나타내기

🥕 비율을 백분율로 나타내어 보세요.

1 0.06

➡ (   )

2 0.13

➡ (   )

3 0.16

➡ (   )

4 0.215

➡ (   )

5 0.24

➡ (   )

6 0.357

➡ (   )

7 0.36

➡ (   )

8 0.5

➡ (   )

9 0.61

➡ (   )

10 0.89

➡ (   )

11 $\frac{1}{4}$

➡ (   )

12 $\frac{4}{5}$

➡ (   )

13 $\frac{3}{10}$

➡ (   )

14 $\frac{11}{20}$

➡ (   )

15 $\frac{13}{25}$

➡ (   )

16 $\frac{24}{25}$

➡ (   )

17 $\frac{17}{40}$

➡ (   )

18 $\frac{29}{40}$

➡ (   )

19 $\frac{31}{50}$

➡ (   )

20 $\frac{43}{50}$

➡ (   )

21 $\frac{79}{100}$

➡ (   )

연산 in 문장제

연주네 반 전체 학생 수는 36명이고, 여학생 수는 18명입니다. 전체 학생 수에 대한 여학생 수의 비율을 백분율로 나타내어 보세요.

$$\frac{18}{36} \times 100 = 50(\%)$$

비율   백분율

22 연수는 고리 던지기 놀이를 하였습니다. 연수의 고리 던지기 성공률이 0.64일 때 연수의 고리 던지기 성공률을 백분율로 나타내어 보세요.

→ $\boxed{} \times \boxed{} = \boxed{}$

답 _____

23 전체 꽃밭의 넓이에 대한 장미 밭의 넓이의 비율은 $\frac{27}{50}$입니다. 장미 밭의 넓이의 비율을 백분율로 나타내어 보세요.

→ $\boxed{} \times \boxed{} = \boxed{}$

답 _____

24 준기는 축구 연습을 하였습니다. 준기가 공을 20번 차서 15번을 넣었을 때 준기의 성공률을 백분율로 나타내어 보세요.

→ $\boxed{} \times \boxed{} = \boxed{}$

답 _____

25 어떤 모임에서 회장을 뽑는 투표를 하였는데 전체 40명 중 33명이 투표하였습니다. 이 모임의 투표율을 백분율로 나타내어 보세요.

→ $\boxed{} \times \boxed{} = \boxed{}$

답 _____

26 어느 소극장에 입장할 수 있는 관객은 100명입니다. 이 소극장에 관객 62명이 입장했을 때 입장률을 백분율로 나타내어 보세요.

→ $\boxed{} \times \boxed{} = \boxed{}$

답 _____

맞힌 개수	나의 학습 결과에 ○표 하세요.				QR 빠른 정답 확인
	맞힌 개수	0~3개	4~9개	10~23개	24~26개	
개 / 26개	학습 방법	다시 한번 풀어 봐요.	계산 연습이 필요해요.	틀린 문제를 확인해요.	실수하지 않도록 집중해요.	

03 일차   2. 백분율을 비율로 나타내기

36 % → 36 ÷ 100 = 0.36

21 % → 21 ÷ 100 = $\frac{21}{100}$

백분율을 비율로 나타내려면 백분율에서 % 기호를 빼고 100으로 나누어요.

🥕 백분율을 소수로 나타내어 보세요.

1 3 %
➡ ( )

2 8 %
➡ ( )

3 15 %
➡ ( )

4 19 %
➡ ( )

5 22 %
➡ ( )

6 30 %
➡ ( )

7 32 %
➡ ( )

8 35 %
➡ ( )

9 39 %
➡ ( )

10 47 %
➡ ( )

11 53 %
➡ ( )

12 59 %
➡ ( )

13 61 %
➡ ( )

14 66 %
➡ ( )

15 72 %
➡ ( )

16 77 %
➡ ( )

17 86 %
➡ ( )

18 91 %
➡ ( )

19 98 %
➡ ( )

🥕 백분율을 분수로 나타내어 보세요.

20 6 %

➡ (   )

27 42 %

➡ (   )

34 75 %

➡ (   )

21 12 %

➡ (   )

28 48 %

➡ (   )

35 80 %

➡ (   )

22 16 %

➡ (   )

29 50 %

➡ (   )

36 84 %

➡ (   )

23 20 %

➡ (   )

30 55 %

➡ (   )

37 88 %

➡ (   )

24 29 %

➡ (   )

31 64 %

➡ (   )

38 95 %

➡ (   )

25 34 %

➡ (   )

32 67 %

➡ (   )

39 96 %

➡ (   )

26 38 %

➡ (   )

33 70 %

➡ (   )

40 99 %

➡ (   )

맞힌 개수	나의 학습 결과에 ○표 하세요.				QR 빠른정답 확인
	맞힌 개수	0~4개	5~16개	17~36개	37~40개
개 / 40개	학습 방법	다시 한번 풀어 봐요.	계산 연습이 필요해요.	틀린 문제를 확인해요.	실수하지 않도록 집중해요.

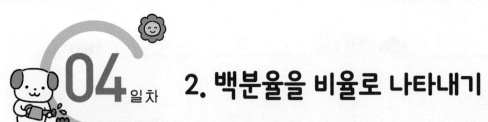

04 일차   2. 백분율을 비율로 나타내기

🥕 백분율을 소수 또는 분수로 나타내어 보세요.

1 5 %

소수 (   )

8 85 %

소수 (   )

15 33 %

분수 (   )

2 17 %

소수 (   )

9 89 %

소수 (   )

16 40 %

분수 (   )

3 25 %

소수 (   )

10 97 %

소수 (   )

17 57 %

분수 (   )

4 52 %

소수 (   )

11 2 %

분수 (   )

18 65 %

분수 (   )

5 62 %

소수 (   )

12 14 %

분수 (   )

19 78 %

분수 (   )

6 69 %

소수 (   )

13 21 %

분수 (   )

20 87 %

분수 (   )

7 73 %

소수 (   )

14 28 %

분수 (   )

21 90 %

분수 (   )

연산 in 문장제

어느 공장에서 부품을 만드는 데 불량률은 4 %입니다. 이 공장의 불량률을 분수로 나타내어 보세요.

$$4 \div 100 = \frac{4}{100} \left(= \frac{1}{25} \right)$$

백분율   비율

---

22 어느 꽃집에서 꽃다발을 11 % 할인하여 판매하고 있습니다. 이 꽃집의 할인율을 분수로 나타내어 보세요.   ➡   ☐ ÷ ☐ = ☐

답 _____

---

23 어느 농구 선수의 골 성공률은 43 %입니다. 이 농구 선수의 골 성공률을 분수로 나타내어 보세요.   ➡   ☐ ÷ ☐ = ☐

답 _____

---

24 민식이가 어떤 문제를 맞힐 정답률은 93 %입니다. 민식이의 정답률을 분수로 나타내어 보세요.   ➡   ☐ ÷ ☐ = ☐

답 _____

---

25 민수네 반에서 분리수거를 찬성하는 학생은 전체의 68 %입니다. 민수네 반의 분리수거 찬성률을 소수로 나타내어 보세요.   ➡   ☐ ÷ ☐ = ☐

답 _____

---

26 어느 선거에서 투표율은 74 %입니다. 이 선거의 투표율을 소수로 나타내어 보세요.   ➡   ☐ ÷ ☐ = ☐

답 _____

맞힌 개수	나의 학습 결과에 ○표 하세요.				QR 빠른 정답 확인
	맞힌 개수	0~3개	4~9개	10~23개	24~26개
개 /26개	학습 방법	다시 한번 풀어 봐요.	계산 연습이 필요해요.	틀린 문제를 확인해요.	실수하지 않도록 집중해요.

🥕 비율을 백분율로 나타내어 보세요.

1 0.05
➡ (   )

2 0.145
➡ (   )

3 0.18
➡ (   )

4 0.2
➡ (   )

5 0.26
➡ (   )

6 0.34
➡ (   )

7 0.575
➡ (   )

8 0.73
➡ (   )

9 0.82
➡ (   )

10 0.98
➡ (   )

11 $\dfrac{3}{4}$
➡ (   )

12 $\dfrac{1}{10}$
➡ (   )

13 $\dfrac{3}{20}$
➡ (   )

14 $\dfrac{19}{20}$
➡ (   )

15 $\dfrac{2}{25}$
➡ (   )

16 $\dfrac{8}{25}$
➡ (   )

17 $\dfrac{9}{40}$
➡ (   )

18 $\dfrac{37}{40}$
➡ (   )

19 $\dfrac{11}{50}$
➡ (   )

20 $\dfrac{49}{50}$
➡ (   )

21 $\dfrac{53}{100}$
➡ (   )

🥔 백분율을 소수 또는 분수로 나타내어 보세요.

22 7 %

소수 (　　　　　　　)

30 60 %

소수 (　　　　　　　)

38 31 %

분수 (　　　　　　　)

23 18.5 %

소수 (　　　　　　　)

31 71 %

소수 (　　　　　　　)

39 45 %

분수 (　　　　　　　)

24 23 %

소수 (　　　　　　　)

32 82 %

소수 (　　　　　　　)

40 51 %

분수 (　　　　　　　)

25 27 %

소수 (　　　　　　　)

33 97.2 %

소수 (　　　　　　　)

41 56 %

분수 (　　　　　　　)

26 37 %

소수 (　　　　　　　)

34 9 %

분수 (　　　　　　　)

42 63 %

분수 (　　　　　　　)

27 41 %

소수 (　　　　　　　)

35 13 %

분수 (　　　　　　　)

43 76 %

분수 (　　　　　　　)

28 49 %

소수 (　　　　　　　)

36 24 %

분수 (　　　　　　　)

44 83 %

분수 (　　　　　　　)

29 58 %

소수 (　　　　　　　)

37 26 %

분수 (　　　　　　　)

45 94 %

분수 (　　　　　　　)

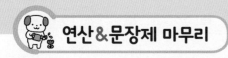
46 어느 공장에서 인형 200개를 만들 때 불량품은 12개 나온다고 합니다. 이 공장의 불량률을 백분율로 나타내어 보세요.

답 _____

47 민정이는 수학 문제 50개 중 47개를 맞혔습니다. 민정이의 수학 문제 정답률을 백분율로 나타내어 보세요.

답 _____

48 어느 문구점에서 연필 20자루 중 8자루가 판매되었습니다. 이 문구점의 연필 판매율을 백분율로 나타내어 보세요.

답 _____

49 어떤 상점에서 운동화를 18 % 할인하여 판매하고 있습니다. 이 상점의 운동화 할인율을 소수로 나타내어 보세요.

답 _____

50 어느 야구 선수의 타율은 34.9 %입니다. 이 야구 선수의 타율을 소수로 나타내어 보세요.

답 _____

51 자원봉사자 중에서 청소년 봉사자는 전체의 36 %입니다. 청소년 봉사자의 비율을 분수로 나타내어 보세요.

답 _____

52 윤정이가 가지고 있는 구슬 중 파란색 구슬은 전체의 54 %입니다. 윤정이가 가지고 있는 파란색 구슬의 비율을 분수로 나타내어 보세요.

답 _____

연산 노트

맞힌 개수	나의 학습 결과에 ○표 하세요.				QR 빠른정답 확인
개 /52개	맞힌 개수	0~5개	6~21개	22~47개	48~52개	
	학습 방법	다시 한번 풀어 봐요.	계산 연습이 필요해요.	틀린 문제를 확인해요.	실수하지 않도록 집중해요.	

7

직육면체의 부피

01일차 1. 직육면체의 부피

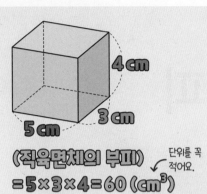

(직육면체의 부피)
=5×3×4=60 (cm³)

단위를 꼭 적어요.

직육면체의 부피는 (가로)×(세로)×(높이)로 구해요.

직육면체의 부피는 몇 cm³ 인지 구해 보세요.

1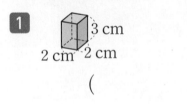
( )

2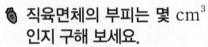
( )

3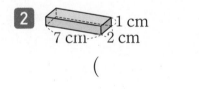
( )

4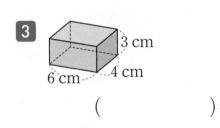
( )

5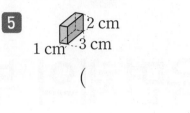
( )

6
( )

7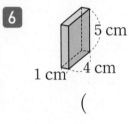
( )

8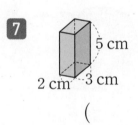
( )

9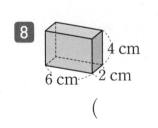
( )

10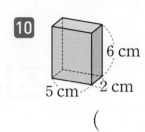
( )

11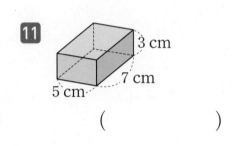
( )

12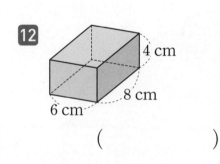
( )

13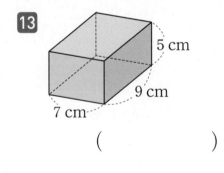
( )

14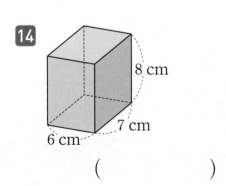
( )

🐹 전개도를 접었을 때 만들어지는 직육면체의 부피는 몇 cm³인지 구해 보세요.

15

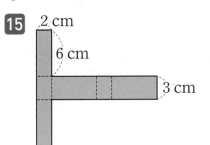

2 cm
6 cm
3 cm

(　　　　)

정육면체의 모서리를 잘라서 펼친 그림을 정육면체의 전개도라고 해요.

19

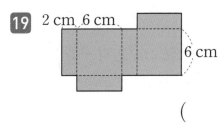

2 cm 6 cm
6 cm

(　　　　)

16

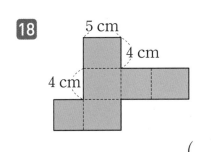

4 cm
3 cm
4 cm

(　　　　)

20

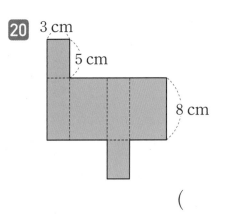

3 cm
5 cm
8 cm

(　　　　)

17

4 cm
2 cm
8 cm

(　　　　)

21

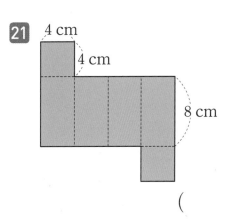

4 cm
4 cm
8 cm

(　　　　)

18

5 cm
4 cm
4 cm

(　　　　)

22

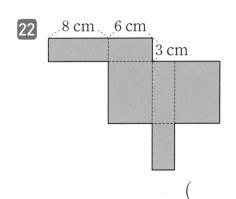

8 cm 6 cm
3 cm

(　　　　)

맞힌 개수	나의 학습 결과에 ○표 하세요.				QR 빠른 정답 확인
개 /22개	맞힌 개수	0~2개	3~7개	8~20개	21~22개
	학습 방법	다시 한번 풀어 봐요.	계산 연습이 필요해요.	틀린 문제를 확인해요.	실수하지 않도록 집중해요.

02일차 1. 직육면체의 부피

🥕 직육면체의 부피는 몇 cm³인지 구해 보세요.

1
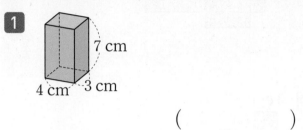
7 cm
4 cm 3 cm

( )

2
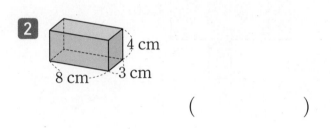
4 cm
8 cm 3 cm

( )

3
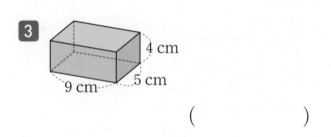
4 cm
9 cm 5 cm

( )

4
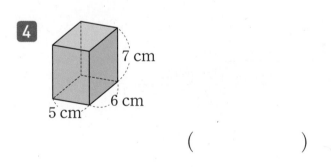
7 cm
5 cm 6 cm

( )

5
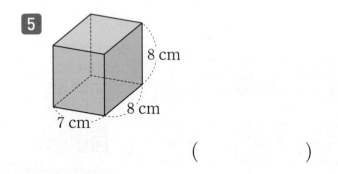
8 cm
8 cm
7 cm

( )

🥕 전개도를 접었을 때 만들어지는 직육면체의 부피는 몇 cm³인지 구해 보세요.

6
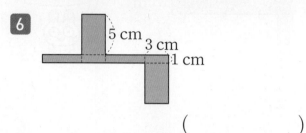
5 cm 3 cm
1 cm

( )

7
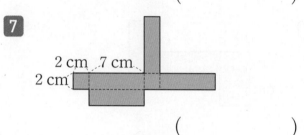
2 cm 7 cm
2 cm

( )

8
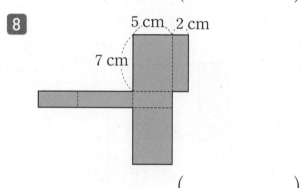
5 cm 2 cm
7 cm

( )

9
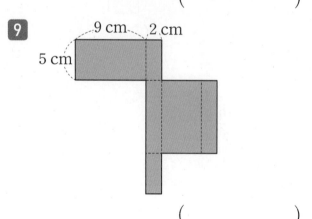
9 cm 2 cm
5 cm

( )

10
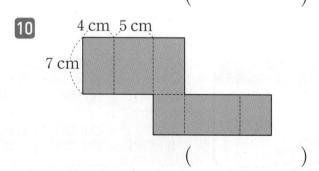
4 cm 5 cm
7 cm

( )

연산 in 문장제

오른쪽 그림과 같은 직육면체 모양의 선물 상자는 가로가 12 cm, 세로가 9 cm, 높이가 5 cm입니다. 선물 상자의 부피는 몇 cm³인지 구해 보세요.

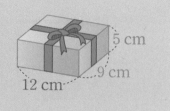

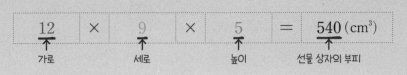

12	×	9	×	5	=	540 (cm³)
↑가로		↑세로		↑높이		↑선물 상자의 부피

11 오른쪽 그림과 같은 직육면체 모양의 택배 상자는 가로가 7 cm, 세로가 9 cm, 높이가 3 cm입니다. 택배 상자의 부피는 몇 cm³인지 구해 보세요.

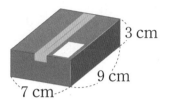

➡

답 _____

12 직육면체 모양의 필통은 가로가 7 cm, 세로가 18 cm, 높이가 5 cm입니다. 필통의 부피는 몇 cm³인지 구해 보세요.

➡ 　　　×　　　×　　　=

답 _____

13 오른쪽 그림과 같은 전개도를 이용하여 직육면체 모양의 정리함을 만들려고 합니다. 정리함의 부피는 몇 cm³인지 구해 보세요.

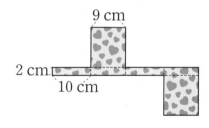

➡

답 _____

14 오른쪽 그림과 같은 전개도를 이용하여 직육면체 모양의 과자 상자를 만들려고 합니다. 과자 상자의 부피는 몇 cm³인지 구해 보세요.

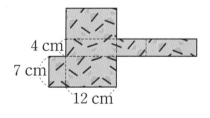

➡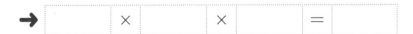

답 _____

맞힌 개수		나의 학습 결과에 ○표 하세요.				QR 빠른정답 확인
	맞힌 개수	0~2개	3~6개	7~12개	13~14개	
개 /14개	학습 방법	다시 한번 풀어 봐요.	계산 연습이 필요해요.	틀린 문제를 확인해요.	실수하지 않도록 집중해요.	

03 일차 2. 정육면체의 부피

2 cm
2 cm
2 cm

(정육면체의 부피)
=2×2×2=8 (cm³)

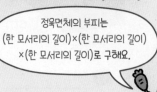

정육면체의 부피는
(한 모서리의 길이)×(한 모서리의 길이)
×(한 모서리의 길이)로 구해요.

🥕 정육면체의 부피는 몇 cm³
인지 구해 보세요.

1
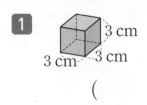
3 cm
3 cm
3 cm

(   )

2
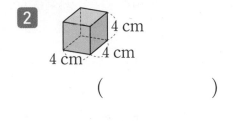
4 cm
4 cm
4 cm

(   )

3
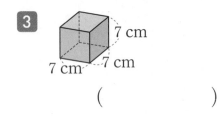
7 cm
7 cm
7 cm

(   )

4
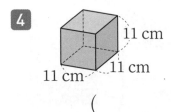
11 cm
11 cm
11 cm

(   )

5
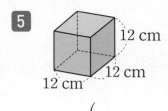
12 cm
12 cm
12 cm

(   )

6
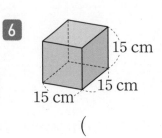
15 cm
15 cm
15 cm

(   )

7
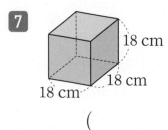
18 cm
18 cm
18 cm

(   )

8
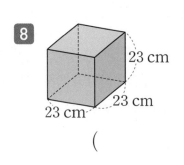
23 cm
23 cm
23 cm

(   )

9
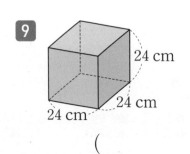
24 cm
24 cm
24 cm

(   )

10
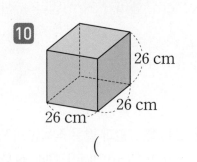
26 cm
26 cm
26 cm

(   )

11
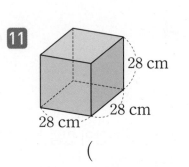
28 cm
28 cm
28 cm

(   )

12
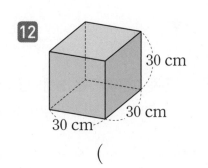
30 cm
30 cm
30 cm

(   )

13
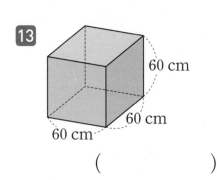
60 cm
60 cm
60 cm

(   )

14
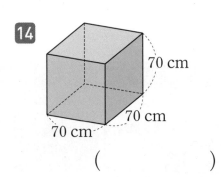
70 cm
70 cm
70 cm

(   )

🐹 전개도를 접었을 때 만들어지는 정육면체의 부피는 몇 cm³인지 구해 보세요.

15
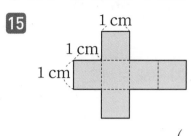
1 cm
1 cm
1 cm

(   )

19
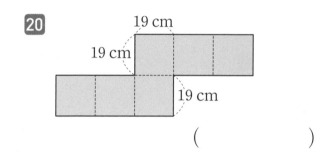
6 cm
6 cm
6 cm

(   )

16
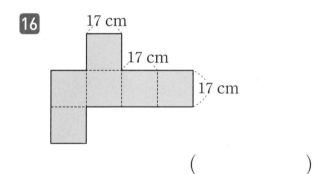
17 cm
17 cm
17 cm

(   )

20
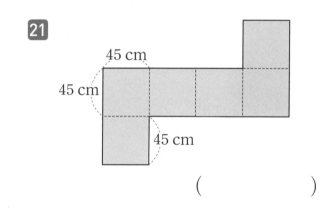
19 cm
19 cm
19 cm

(   )

17
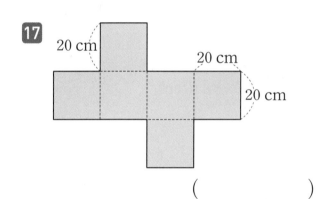
20 cm
20 cm
20 cm

(   )

21
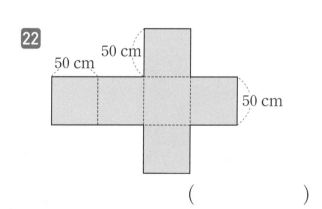
45 cm
45 cm
45 cm

(   )

18
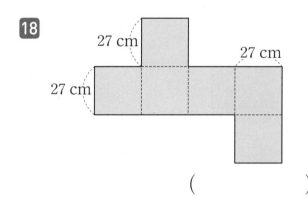
27 cm
27 cm
27 cm

(   )

22
50 cm
50 cm
50 cm

(   )

맞힌 개수		나의 학습 결과에 ○표 하세요.			
	맞힌 개수	0~2개	3~7개	8~20개	21~22개
개 /22개	학습 방법	다시 한번 풀어 봐요.	계산 연습이 필요해요.	틀린 문제를 확인해요.	실수하지 않도록 집중해요.

QR 빠른정답 확인

🥕 정육면체의 부피는 몇 cm³인지 구해 보세요.

1

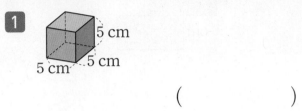
5 cm
5 cm 5 cm

( )

2

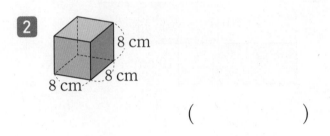
8 cm
8 cm 8 cm

( )

3

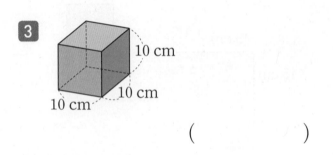
10 cm
10 cm
10 cm

( )

4

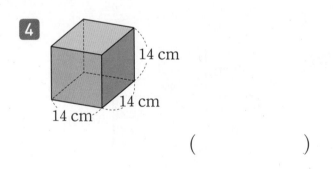
14 cm
14 cm
14 cm

( )

5

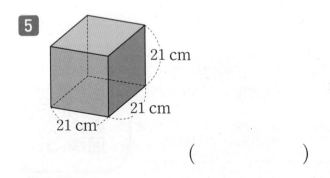
21 cm
21 cm
21 cm

( )

🥕 전개도를 접었을 때 만들어지는 정육면체의 부피는 몇 cm³인지 구해 보세요.

6

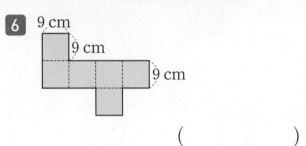
9 cm
9 cm
9 cm

( )

7

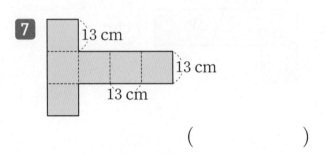
13 cm
13 cm
13 cm

( )

8

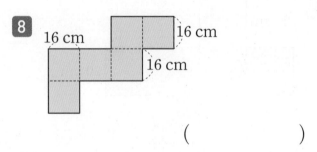
16 cm
16 cm
16 cm

( )

9

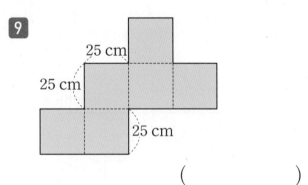
25 cm
25 cm
25 cm

( )

10

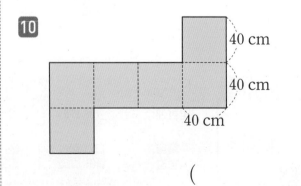
40 cm
40 cm
40 cm

( )

연산 in 문장제

오른쪽 그림과 같은 정육면체 모양의 주사위는 한 모서리의 길이가 4 cm입니다. 주사위의 부피는 몇 cm³인지 구해 보세요.

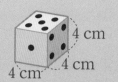

$$\underset{\text{한 모서리의 길이}}{4} \times \underset{\text{한 모서리의 길이}}{4} \times \underset{\text{한 모서리의 길이}}{4} = \underset{\text{주사위의 부피}}{64} (\text{cm}^3)$$

11 오른쪽 그림과 같은 정육면체 모양의 수조는 한 모서리의 길이가 29 cm입니다. 수조의 부피는 몇 cm³인지 구해 보세요.

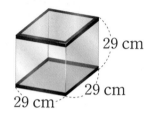

→ [　　] × [　　] × [　　] = [　　]

답 _____

12 정육면체 모양의 휴지통은 한 모서리의 길이가 80 cm입니다. 휴지통의 부피는 몇 cm³인지 구해 보세요.

→ [　　] × [　　] × [　　] = [　　]

답 _____

13 오른쪽 그림과 같은 전개도를 이용하여 정육면체 모양의 상자를 만들려고 합니다. 상자의 부피는 몇 cm³인지 구해 보세요.

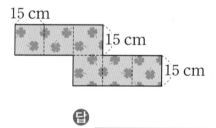

→ [　　] × [　　] × [　　] = [　　]

답 _____

14 오른쪽 그림과 같은 전개도를 이용하여 정육면체 모양의 과자 상자를 만들려고 합니다. 과자 상자의 부피는 몇 cm³인지 구해 보세요.

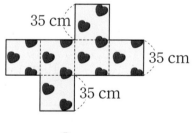

→ [　　] × [　　] × [　　] = [　　]

답 _____

맞힌 개수	나의 학습 결과에 ○표 하세요.				QR 빠른정답 확인
	맞힌 개수	0~2개	3~6개	7~12개	13~14개	
개 /14개	학습 방법	다시 한번 풀어 봐요.	계산 연습이 필요해요.	틀린 문제를 확인해요.	실수하지 않도록 집중해요.	

3. 여러 가지 입체도형의 부피

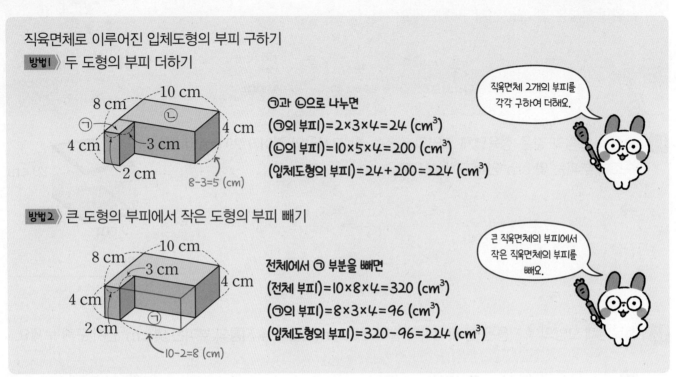

직육면체로 이루어진 입체도형의 부피 구하기

방법1 두 도형의 부피 더하기

㉠과 ㉡으로 나누면
(㉠의 부피)=2×3×4=24 (cm³)
(㉡의 부피)=10×5×4=200 (cm³)
(입체도형의 부피)=24+200=224 (cm³)

직육면체 2개의 부피를 각각 구하여 더해요.

방법2 큰 도형의 부피에서 작은 도형의 부피 빼기

전체에서 ㉠ 부분을 빼면
(전체 부피)=10×8×4=320 (cm³)
(㉠의 부피)=8×3×4=96 (cm³)
(입체도형의 부피)=320-96=224 (cm³)

큰 직육면체의 부피에서 작은 직육면체의 부피를 빼요.

🥕 직육면체로 이루어진 입체도형의 부피는 몇 cm³인지 구해 보세요.

1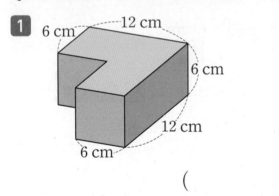

( )

3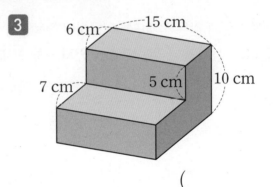

( )

2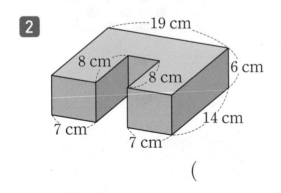

( )

4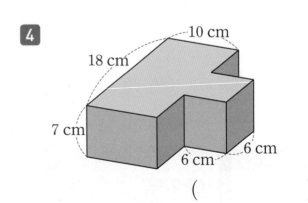

( )

5

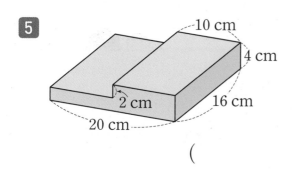

10 cm
4 cm
2 cm
16 cm
20 cm

(   )

8

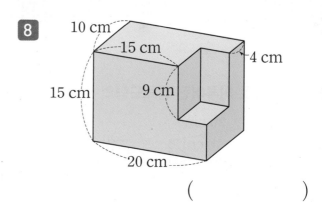

10 cm
15 cm
4 cm
15 cm
9 cm
20 cm

(   )

6

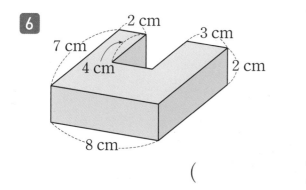

2 cm
3 cm
7 cm
2 cm
4 cm
8 cm

(   )

9

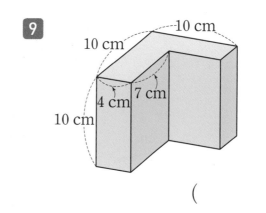

10 cm
10 cm
4 cm
7 cm
10 cm

(   )

7

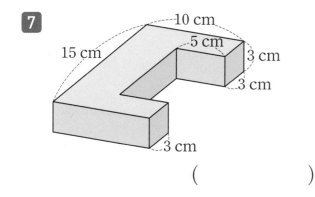

10 cm
5 cm
15 cm
3 cm
3 cm
3 cm

(   )

10

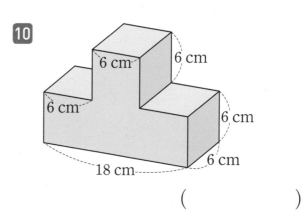

6 cm
6 cm
6 cm
6 cm
6 cm
18 cm

(   )

맞힌 개수	나의 학습 결과에 ○표 하세요.				QR 빠른정답 확인
개 /10개	맞힌 개수	0~1개	2~4개	5~8개	9~10개	
	학습 방법	다시 한번 풀어 봐요.	계산 연습이 필요해요.	틀린 문제를 확인해요.	실수하지 않도록 집중해요.	

직육면체로 이루어진 입체도형의 부피는 몇 cm³인지 구해 보세요.

1
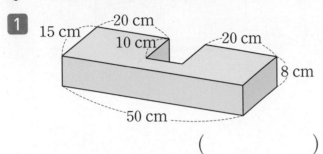

(   )

4
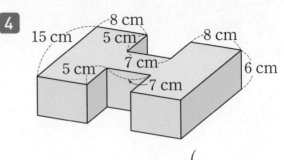

(   )

2
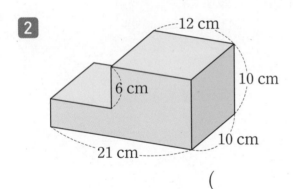

(   )

5
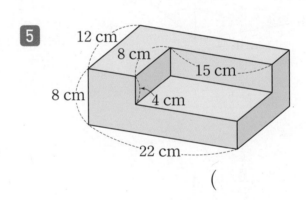

(   )

3
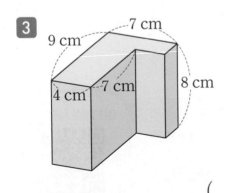

(   )

6
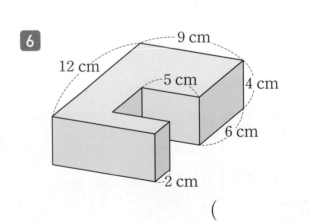

(   )

7

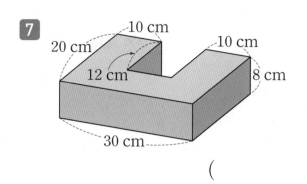

10 cm
20 cm
12 cm
10 cm
8 cm
30 cm

(　　　　　)

10

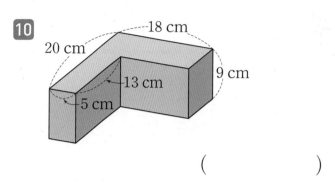

18 cm
20 cm
13 cm
5 cm
9 cm

(　　　　　)

8

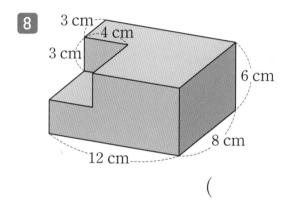

3 cm
4 cm
3 cm
6 cm
8 cm
12 cm

(　　　　　)

11

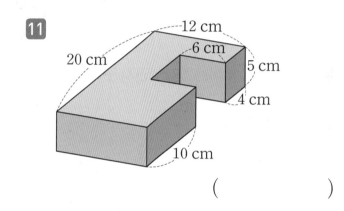

12 cm
6 cm
20 cm
5 cm
4 cm
10 cm

(　　　　　)

9

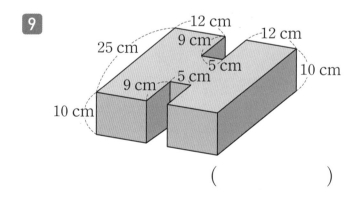

12 cm
9 cm
25 cm
5 cm
12 cm
9 cm
5 cm
10 cm
10 cm

(　　　　　)

12

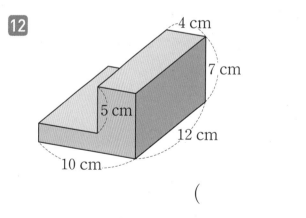

4 cm
7 cm
5 cm
12 cm
10 cm

(　　　　　)

맞힌 개수	나의 학습 결과에 ○표 하세요.				QR 빠른정답 확인
	맞힌 개수	0~1개	2~5개	6~10개	11~12개	
개 /12개	학습 방법	다시 한번 풀어 봐요.	계산 연습이 필요해요.	틀린 문제를 확인해요.	실수하지 않도록 집중해요.	

4. 부피의 큰 단위 ㎥

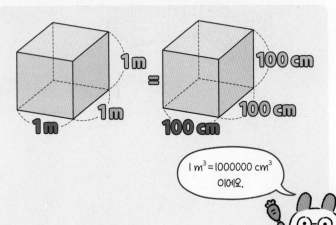

1 m³ = 1000000 cm³
이에요.

🥕 직육면체의 부피는 몇 ㎥인지 구해 보세요.

1
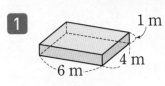

(   )

2
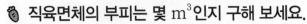

(   )

3

(   )

4
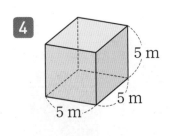

(   )

5
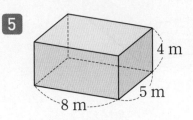

(   )

6
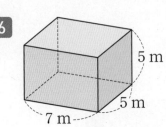

(   )

7
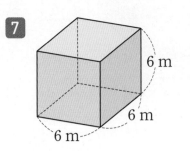

(   )

8
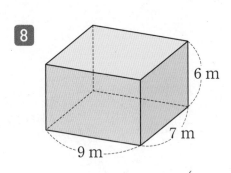

(   )

9
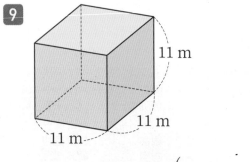

(   )

10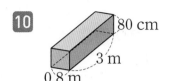
80 cm
3 m
0.8 m

(   )

100 cm = 1 m
이에요.

11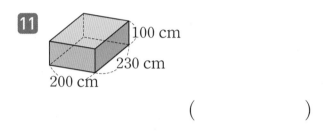
100 cm
230 cm
200 cm

(   )

12
2.5 m
250 cm
2.5 m

(   )

13
4 m
4 m
400 cm

(   )

14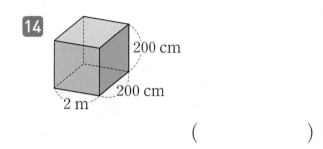
200 cm
200 cm
2 m

(   )

15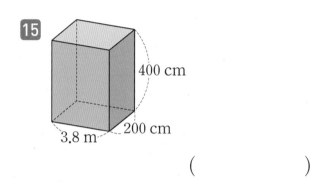
400 cm
3.8 m   200 cm

(   )

16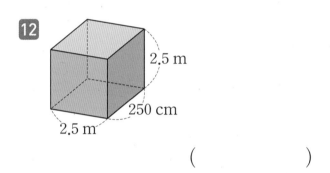
400 cm
500 cm
7.4 m

(   )

17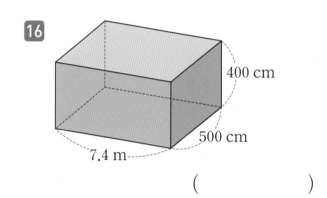
10 m
10 m
1000 cm

(   )

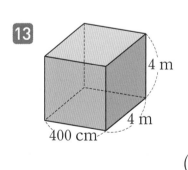

맞힌 개수	나의 학습 결과에 ○표 하세요.				QR 빠른정답 확인
	맞힌 개수	0~2개	3~5개	6~15개	16~17개	
개 /17개	학습 방법	다시 한번 풀어 봐요.	계산 연습이 필요해요.	틀린 문제를 확인해요.	실수하지 않도록 집중해요.	

4. 부피의 큰 단위 m³

🥕 직육면체의 부피는 m³인지 구해 보세요.

1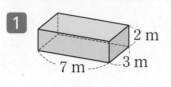

2 m
7 m 3 m

(   )

5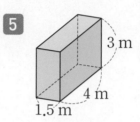

3 m
4 m
1.5 m

(   )

2

5 m
6 m
11 m

(   )

6

2.2 m
500 cm
6 m

(   )

3

5 m
7 m
10 m

(   )

7

4.5 m
4.5 m
450 cm

(   )

4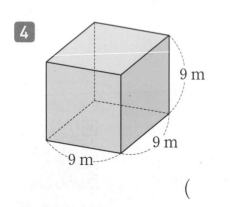

9 m
9 m
9 m

(   )

8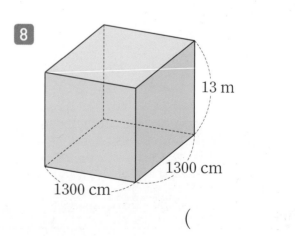

13 m
1300 cm
1300 cm

(   )

연산 in 문장제

오른쪽 그림과 같은 직육면체 모양의 냉장고는 가로가 90 cm, 세로가 90 cm, 높이가 180 cm입니다. 냉장고의 부피는 몇 m³인지 구해 보세요.

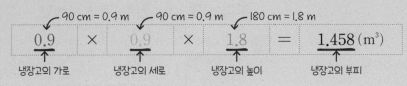
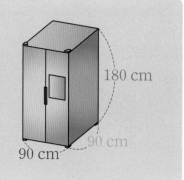

90 cm = 0.9 m   90 cm = 0.9 m   180 cm = 1.8 m

$$\underset{\text{냉장고의 가로}}{0.9} \times \underset{\text{냉장고의 세로}}{0.9} \times \underset{\text{냉장고의 높이}}{1.8} = \underset{\text{냉장고의 부피}}{1.458} \, (\text{m}^3)$$

9 오른쪽 그림과 같은 직육면체 모양의 컨테이너의 부피는 몇 m³인지 구해 보세요.

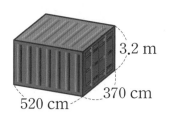

➡ ☐ × ☐ × ☐ = ☐

답 _____

10 정육면체 모양의 금고의 크기는 한 모서리의 길이가 1.2 m입니다. 금고의 부피는 몇 m³인지 구해 보세요.

➡ ☐ × ☐ × ☐ = ☐

답 _____

11 오른쪽 그림과 같은 직육면체 모양의 서랍장의 부피는 몇 m³인지 구해 보세요.

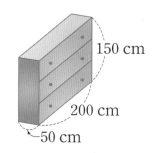

➡ ☐ × ☐ × ☐ = ☐

답 _____

12 오른쪽 그림과 같은 직육면체 모양의 장식장의 부피는 몇 m³인지 구해 보세요.

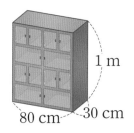

➡ ☐ × ☐ × ☐ = ☐

답 _____

맞힌 개수	나의 학습 결과에 ○표 하세요.			
	맞힌 개수	0~1개	2~5개	6~10개	11~12개
개 / 12개	학습 방법	다시 한번 풀어 봐요.	계산 연습이 필요해요.	틀린 문제를 확인해요.	실수하지 않도록 집중해요.

QR 빠른정답 확인

09 일차 연산&문장제 마무리

🥕 직육면체의 부피는 몇 cm³인지 구해 보세요.

1

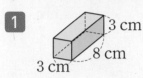

3 cm
8 cm
3 cm

(   )

2

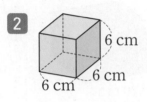

6 cm
6 cm
6 cm

(   )

3

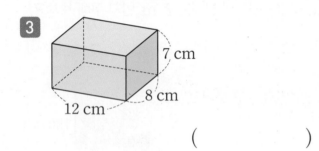

7 cm
8 cm
12 cm

(   )

4

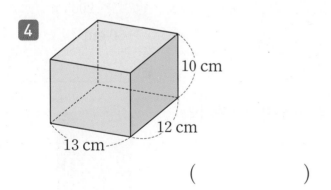

10 cm
12 cm
13 cm

(   )

5

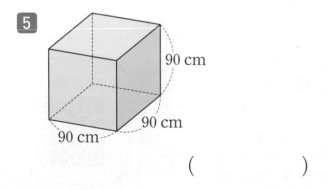

90 cm
90 cm
90 cm

(   )

🥕 전개도를 접었을 때 만들어지는 직육면체의 부피는 몇 cm³인지 구해 보세요.

6

7 cm
4 cm
2 cm

(   )

7

12 cm   7 cm
3 cm

(   )

8

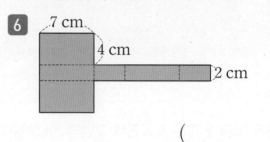

4 cm
9 cm
11 cm

(   )

9

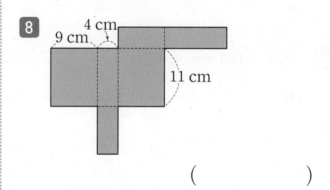

8 cm
8 cm
8 cm

(   )

10

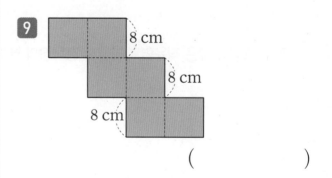

28 cm
28 cm
28 cm

(   )

🥕 직육면체로 이루어진 입체도형의 부피는 몇 cm³인지 구해 보세요.

11

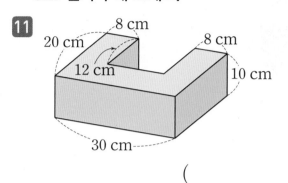

(　　　　　　)

12

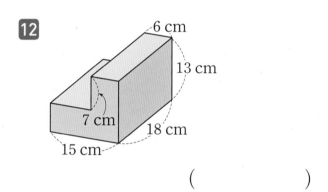

(　　　　　　)

13

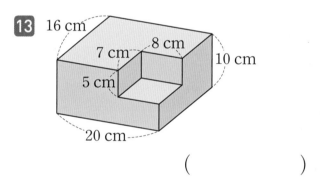

(　　　　　　)

14

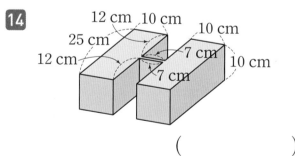

(　　　　　　)

15

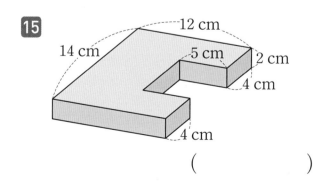

(　　　　　　)

🥕 직육면체의 부피는 몇 m³인지 구해 보세요.

16

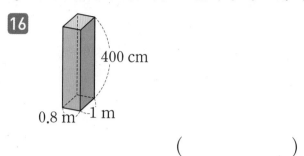

(　　　　　　)

17

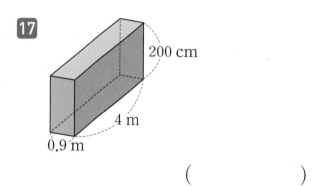

(　　　　　　)

18

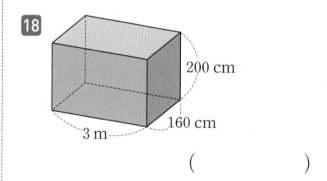

(　　　　　　)

19

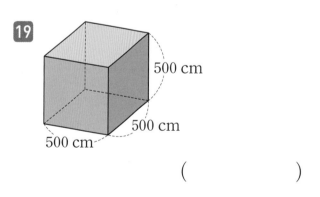

(　　　　　　)

20

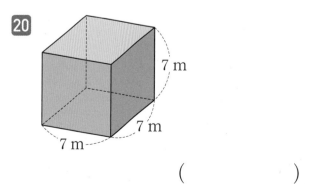

(　　　　　　)

연산&문장제 마무리

21 오른쪽 그림과 같은 직육면체 모양의 컴퓨터 본체는 가로가 20 cm, 세로가 30 cm, 높이가 50 cm입니다. 컴퓨터 본체의 부피는 몇 cm^3인지 구해 보세요.

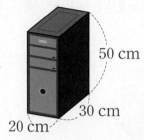

답 _____

22 오른쪽 그림과 같은 정육면체 모양의 상자는 한 모서리의 길이가 30 cm입니다. 상자의 부피는 몇 cm^3인지 구해 보세요.

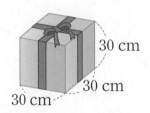

답 _____

23 오른쪽 그림과 같은 직육면체 모양의 지우개는 가로가 6 cm, 세로가 2.5 cm, 높이가 1 cm입니다. 지우개의 부피는 몇 cm^3인지 구해 보세요.

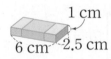

답 _____

24 오른쪽 그림과 같은 직육면체 모양의 에어컨은 가로가 40 cm, 세로가 30 cm, 높이가 1.8 m입니다. 에어컨의 부피는 몇 m^3인지 구해 보세요.

답 _____

연산 노트

맞힌 개수	나의 학습 결과에 ○표 하세요.				QR 빠른정답 확인
개 /24개	맞힌 개수	0~2개	3~8개	9~22개	23~24개	
	학습 방법	다시 한번 풀어 봐요.	계산 연습이 필요해요.	틀린 문제를 확인해요.	실수하지 않도록 집중해요.	

8

직육면체의 겉넓이

1. 직육면체의 겉넓이

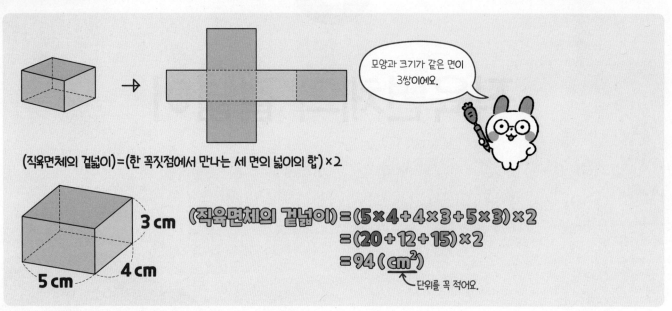

모양과 크기가 같은 면이 3쌍이에요.

(직육면체의 겉넓이)=(한 꼭짓점에서 만나는 세 면의 넓이의 합)×2

(직육면체의 겉넓이)=(5×4+4×3+5×3)×2
=(20+12+15)×2
=94 (cm²)
└→ 단위를 꼭 적어요.

🥕 직육면체의 겉넓이는 몇 cm²인지 구해 보세요.

1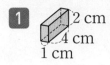
2 cm
4 cm
1 cm

(   )

4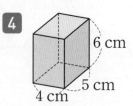
6 cm
5 cm
4 cm

(   )

7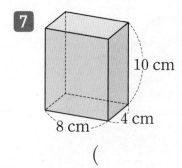
10 cm
8 cm
4 cm

(   )

2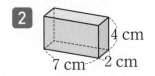
4 cm
7 cm
2 cm

(   )

5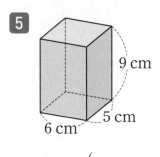
9 cm
6 cm
5 cm

(   )

8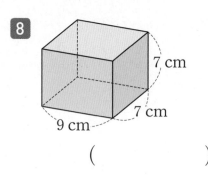
7 cm
9 cm
7 cm

(   )

3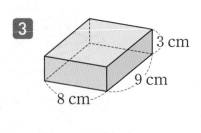
3 cm
9 cm
8 cm

(   )

6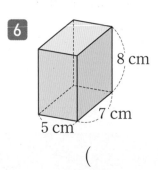
8 cm
5 cm
7 cm

(   )

9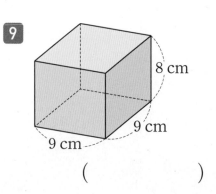
8 cm
9 cm
9 cm

(   )

🥔 전개도를 접었을 때 만들어지는 직육면체의 겉넓이는 몇 cm^2인지 구해 보세요.

10
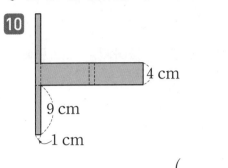
4 cm
9 cm
1 cm

(　　　　　　)

14
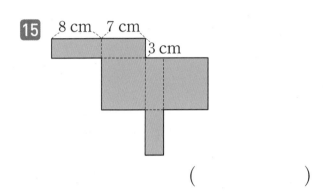
7 cm　6 cm
2 cm

(　　　　　　)

11
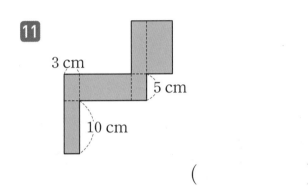
3 cm
5 cm
10 cm

(　　　　　　)

15
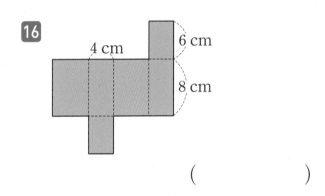
8 cm　7 cm
3 cm

(　　　　　　)

12
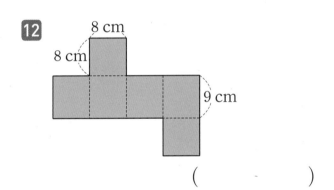
8 cm
8 cm
9 cm

(　　　　　　)

16
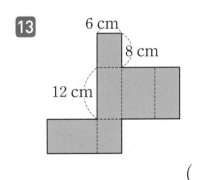
4 cm
6 cm
8 cm

(　　　　　　)

13
6 cm
8 cm
12 cm

(　　　　　　)

17
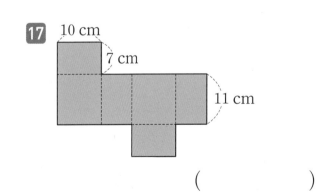
10 cm
7 cm
11 cm

(　　　　　　)

맞힌 개수	나의 학습 결과에 ○표 하세요.				QR 빠른 정답 확인
	맞힌 개수	0~2개	3~5개	6~15개	16~17개	
개 /17개	학습 방법	다시 한번 풀어 봐요.	계산 연습이 필요해요.	틀린 문제를 확인해요.	실수하지 않도록 집중해요.	

🥕 직육면체의 겉넓이는 몇 cm²인지 구해 보세요.

1

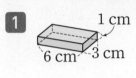

1 cm
6 cm 3 cm

(   )

2

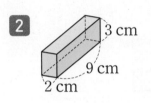

3 cm
9 cm
2 cm

(   )

3

6 cm
7 cm
3 cm

(   )

4

4 cm
6 cm
7 cm

(   )

5

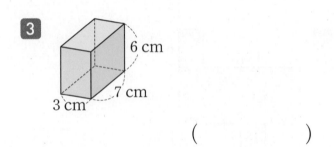

8 cm
8 cm
5 cm

(   )

🥕 전개도를 접었을 때 만들어지는 직육면체의 겉넓이는 몇 cm²인지 구해 보세요.

6

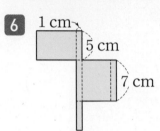

1 cm
5 cm
7 cm

(   )

7

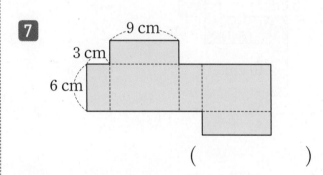

9 cm
3 cm
6 cm

(   )

8

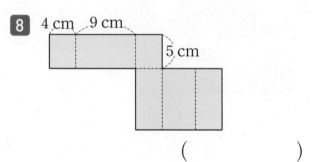

4 cm   9 cm
5 cm

(   )

9

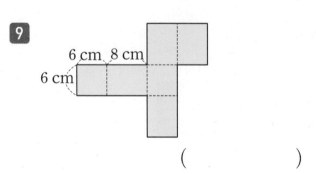

6 cm   8 cm
6 cm

(   )

10

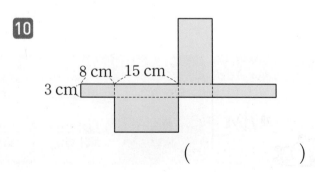

8 cm   15 cm
3 cm

(   )

연산 in 문장제

오른쪽 그림과 같은 직육면체 모양의 휴지 상자는 가로가 11 cm, 세로가 15 cm, 높이가 10 cm입니다. 휴지 상자의 겉넓이는 몇 cm²인지 구해 보세요.

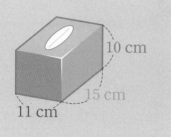

$$\underbrace{(11 \times 15 + 15 \times 10 + 11 \times 10)}_{\text{한 꼭짓점에서 만나는 세 면의 넓이의 합}} \times 2 = \underset{\underset{\text{휴지 상자의 겉넓이}}{\uparrow}}{850}\,(\text{cm}^2)$$

11 오른쪽 그림과 같은 직육면체 모양의 휴대전화는 가로가 7 cm, 세로가 13 cm, 높이가 1 cm입니다. 휴대전화의 겉넓이는 몇 cm²인지 구해 보세요.

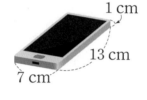

답 _____

12 가로가 4 cm, 세로가 8 cm, 높이가 8 cm인 직육면체 모양의 상자가 있습니다. 상자의 겉넓이는 몇 cm²인지 구해 보세요.

답 _____

13 오른쪽 그림과 같은 전개도를 이용하여 직육면체 모양의 케이크 상자를 만들려고 합니다. 케이크 상자의 겉넓이는 몇 cm²인지 구해 보세요.

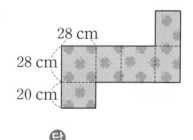

답 _____

14 오른쪽 그림과 같은 전개도를 이용하여 직육면체 모양의 장난감 상자를 만들려고 합니다. 장난감 상자의 겉넓이는 몇 cm²인지 구해 보세요.

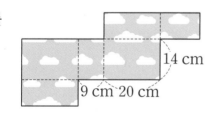

답 _____

맞힌 개수	나의 학습 결과에 ○표 하세요.				QR 빠른정답 확인
	맞힌 개수	0~2개	3~6개	7~12개	13~14개	
개 /14개	학습 방법	다시 한번 풀어 봐요.	계산 연습이 필요해요.	틀린 문제를 확인해요.	실수하지 않도록 집중해요.	

2. 정육면체의 겉넓이

6면 모두 모양과 크기가 같아요.

(정육면체의 겉넓이)=(한 면의 넓이)×6

(정육면체의 겉넓이)=(3×3)×6=9×6=54 (cm²)

🥕 정육면체의 겉넓이는 몇 cm²인지 구해 보세요.

1 2 cm 2 cm 2 cm

( )

4 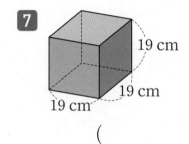 12 cm 12 cm 12 cm

( )

7 19 cm 19 cm 19 cm

( )

2 5 cm 5 cm 5 cm

( )

5 13 cm 13 cm 13 cm

( )

8 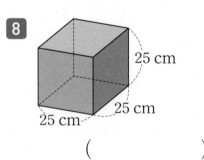 25 cm 25 cm 25 cm

( )

3 9 cm 9 cm 9 cm

( )

6 15 cm 15 cm 15 cm

( )

9 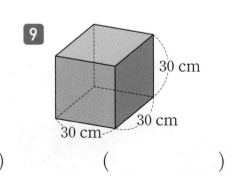 30 cm 30 cm 30 cm

( )

🐾 전개도를 접었을 때 만들어지는 정육면체의 겉넓이는 몇 cm²인지 구해 보세요.

10
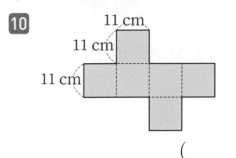
11 cm
11 cm
11 cm

(　　　　　)

14
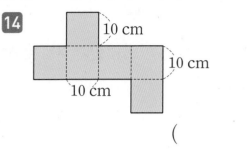
10 cm
10 cm
10 cm

(　　　　　)

11
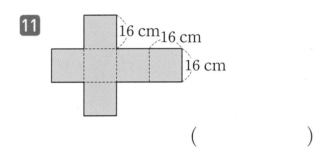
16 cm 16 cm
16 cm

(　　　　　)

15
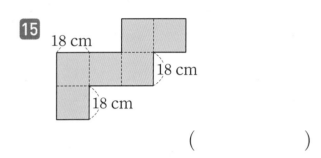
18 cm
18 cm
18 cm

(　　　　　)

12
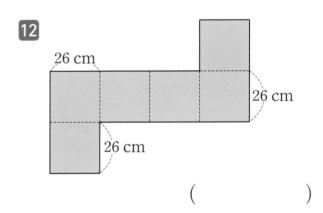
26 cm
26 cm
26 cm

(　　　　　)

16
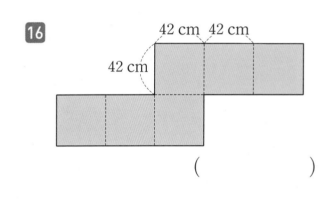
42 cm 42 cm
42 cm

(　　　　　)

13
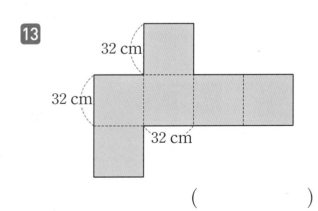
32 cm
32 cm
32 cm

(　　　　　)

17
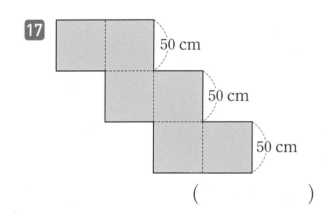
50 cm
50 cm
50 cm

(　　　　　)

🥕 정육면체의 겉넓이는 몇 cm²인지 구해 보세요.

1
4 cm
4 cm 4 cm

(   )

2
7 cm
7 cm 7 cm

(   )

3
14 cm
14 cm 14 cm

(   )

4
20 cm
20 cm 20 cm

(   )

5
28 cm
28 cm 28 cm

(   )

🥕 전개도를 접었을 때 만들어지는 정육면체의 겉넓이는 몇 cm²인지 구해 보세요.

6
1 cm
1 cm
1 cm

(   )

7
17 cm
17 cm
17 cm

(   )

8
23 cm
23 cm
23 cm

(   )

9
45 cm
45 cm
45 cm

(   )

10
60 cm
60 cm
60 cm

(   )

연산 in 문장제

오른쪽 그림과 같은 정육면체 모양의 큐브는 한 모서리의 길이가 6 cm입니다. 큐브의 겉넓이는 몇 cm²인지 구해 보세요.

$$\underbrace{(6 \times 6)}_{\text{한 면의 넓이}} \times 6 = \underbrace{216}_{\text{큐브의 겉넓이}} (\text{cm}^2)$$

11 정육면체 모양의 시계 보관함은 한 모서리의 길이가 13 cm입니다. 보관함의 겉넓이는 몇 cm²인지 구해 보세요.

답 _____

12 오른쪽 그림과 같은 정육면체 모양의 보석 상자는 한 모서리의 길이가 24 cm입니다. 보석 상자의 겉넓이는 몇 cm²인지 구해 보세요.

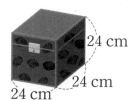

답 _____

13 오른쪽 그림과 같은 전개도를 이용하여 정육면체 모양의 상자를 만들려고 합니다. 상자의 겉넓이는 몇 cm²인지 구해 보세요.

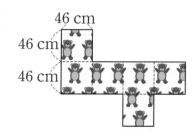

답 _____

14 오른쪽 그림과 같은 전개도를 이용하여 정육면체 모양의 선물 상자를 만들려고 합니다. 선물 상자의 겉넓이는 몇 cm²인지 구해 보세요.

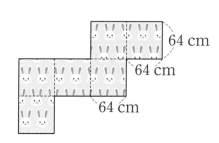

답 _____

맞힌 개수	나의 학습 결과에 ○표 하세요.				QR 빠른정답 확인
	맞힌 개수	0~2개	3~6개	7~12개	13~14개	
개 /14개	학습 방법	다시 한번 풀어 봐요.	계산 연습이 필요해요.	틀린 문제를 확인해요.	실수하지 않도록 집중해요.	

연산&문장제 마무리

🥕 직육면체의 겉넓이는 몇 cm²인지 구해 보세요.

1
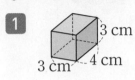
3 cm
3 cm
4 cm

(   )

6
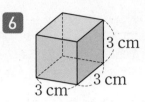
3 cm
3 cm
3 cm

(   )

2
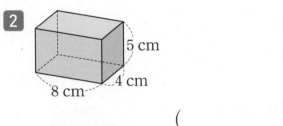
5 cm
8 cm
4 cm

(   )

7
10 cm
10 cm
10 cm

(   )

3
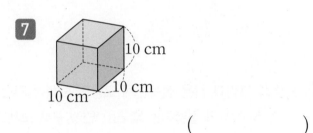
7 cm
9 cm
4 cm

(   )

8
18 cm
18 cm
18 cm

(   )

4
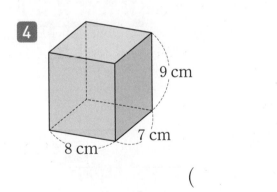
9 cm
8 cm
7 cm

(   )

9
22 cm
22 cm
22 cm

(   )

5
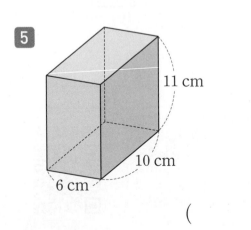
11 cm
10 cm
6 cm

(   )

10
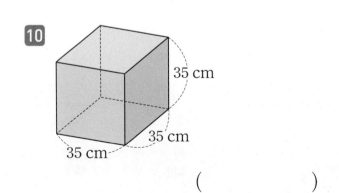
35 cm
35 cm
35 cm

(   )

🥔 전개도를 접었을 때 만들어지는 직육면체의 겉넓이는 몇 cm²인지 구해 보세요.

11

5 cm
3 cm
1 cm

(　　　　　　)

16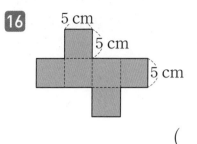

5 cm
5 cm
5 cm

(　　　　　　)

12

8 cm
11 cm
2 cm

(　　　　　　)

17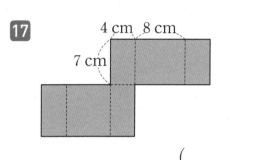

4 cm　8 cm
7 cm

(　　　　　　)

13

2 cm
8 cm
9 cm

(　　　　　　)

18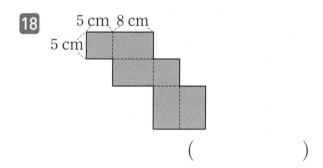

5 cm　8 cm
5 cm

(　　　　　　)

14

9 cm
7 cm
14 cm

(　　　　　　)

19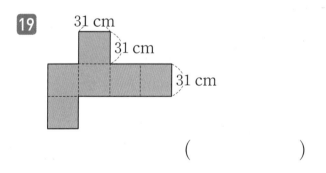

31 cm
31 cm
31 cm

(　　　　　　)

15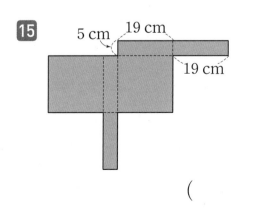

5 cm　19 cm
19 cm

(　　　　　　)

20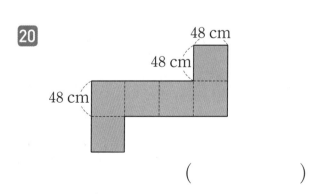

48 cm
48 cm
48 cm

(　　　　　　)

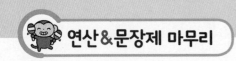
21 오른쪽 그림과 같은 직육면체 모양의 케이크 상자의 겉넓이는 몇 cm²인지 구해 보세요.

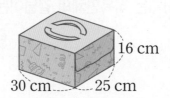

16 cm
30 cm   25 cm

답 _____

연산 노트

22 오른쪽 그림과 같은 정육면체 모양의 장난감은 한 모서리의 길이가 21 cm입니다. 장난감의 겉넓이는 몇 cm²인지 구해 보세요.

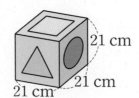

21 cm
21 cm
21 cm

답 _____

23 직육면체 모양의 선물 상자를 만들기 위해 오른쪽 그림과 같이 종이를 잘랐습니다. 이 종이로 만든 선물 상자의 겉넓이는 몇 cm²인지 구해 보세요.

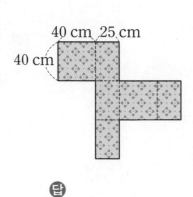

40 cm 25 cm
40 cm

답 _____

24 민수는 오른쪽 그림과 같이 합동인 정사각형 6개를 이용하여 전개도를 그렸습니다. 전개도로 만든 정육면체의 겉넓이는 몇 cm²인지 구해 보세요.

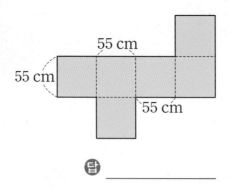

55 cm
55 cm
55 cm

답 _____

맞힌 개수	나의 학습 결과에 ○표 하세요.				QR 빠른정답 확인
	맞힌 개수	0~2개	3~8개	9~22개	23~24개
개 /24개	학습 방법	다시 한번 풀어 봐요.	계산 연습이 필요해요.	틀린 문제를 확인해요.	실수하지 않도록 집중해요.

연산 노트

연산 노트

초등 풍산자로 개념을 적용하고 응용하여
연산, 유형, 서술형을 풀면 실력이 탄탄해집니다

처음 배우는 수학을 쉽게 접근하는 초등 풍산자 로드맵

연산 집중훈련서	교과 유형학습서	서술형 집중연습서	연산 반복훈련서
▶ 풍산자 개념X연산	▶ 풍산자 개념X유형	▶ 풍산자 개념X서술형	▶ 풍산자 연산

초등 풍산자 교재	하	중하	중	상
연산 집중훈련서 풍산자 개념X연산	개념 적용 연산 학습, 기초 실력 완성			
교과 유형학습서 풍산자 개념X유형		개념 응용 유형 학습, 기본 실력 완성		
서술형 집중연습서 풍산자 개념X서술형		개념 활용 서술형 연습, 문제 해결력 완성		
연산 반복훈련서 풍산자 연산	연산만 집중적으로 반복 학습			

풍산자 연산

정답

초등 수학

6-1

하이 라이트

지학사

풍산자 연산

초등 연산의 모든 것

정답

초등 **수학** 6-1

정답

1. 분수의 나눗셈 (1)

01 일차 1. 1÷(자연수)

8쪽

1 $\dfrac{1}{2}$

2 $\dfrac{1}{3}$

3 $\dfrac{1}{5}$

4 $\dfrac{1}{6}$

5 $\dfrac{1}{7}$

6 $\dfrac{1}{8}$

7 $\dfrac{1}{9}$

8 $\dfrac{1}{10}$

9 $\dfrac{1}{16}$

9쪽

10 $\dfrac{1}{4}$

11 $\dfrac{1}{7}$

12 $\dfrac{1}{8}$

13 $\dfrac{1}{10}$

14 $\dfrac{1}{11}$

15 $\dfrac{1}{14}$

16 $\dfrac{1}{17}$

17 $\dfrac{1}{21}$

18 $\dfrac{1}{22}$

19 $\dfrac{1}{25}$

20 $\dfrac{1}{30}$

21 $\dfrac{1}{32}$

22 $\dfrac{1}{35}$

23 $\dfrac{1}{36}$

24 $\dfrac{1}{39}$

25 $\dfrac{1}{40}$

26 $\dfrac{1}{41}$

27 $\dfrac{1}{43}$

28 $\dfrac{1}{45}$

29 $\dfrac{1}{46}$

30 $\dfrac{1}{49}$

31 $\dfrac{1}{50}$

32 $\dfrac{1}{52}$

33 $\dfrac{1}{55}$

02 일차 1. 1÷(자연수)

10쪽

1 $\dfrac{1}{3}$

2 $\dfrac{1}{6}$

3 $\dfrac{1}{9}$

4 $\dfrac{1}{10}$

5 $\dfrac{1}{12}$

6 $\dfrac{1}{18}$

7 $\dfrac{1}{5}$

8 $\dfrac{1}{13}$

9 $\dfrac{1}{15}$

10 $\dfrac{1}{19}$

11 $\dfrac{1}{20}$

12 $\dfrac{1}{23}$

13 $\dfrac{1}{26}$

14 $\dfrac{1}{28}$

15 $\dfrac{1}{33}$

11쪽

16 $\dfrac{1}{2}$ kg

17 $\dfrac{1}{4}$ 개

18 $\dfrac{1}{5}$ m^2

19 $\dfrac{1}{9}$ m

20 $\dfrac{1}{10}$ L

21 $\dfrac{1}{12}$ 판

12쪽

1   $\dfrac{2}{3}$

2   $\dfrac{2}{4}\left(=\dfrac{1}{2}\right)$

3   $\dfrac{2}{16}\left(=\dfrac{1}{8}\right)$

4   $\dfrac{3}{5}$

5   $\dfrac{3}{10}$

6   $\dfrac{4}{7}$

7   $\dfrac{6}{8}\left(=\dfrac{3}{4}\right)$

13쪽

8   $\dfrac{3}{8}$

9   $\dfrac{5}{12}$

10   $\dfrac{2}{3}$

11   $\dfrac{6}{11}$

12   $\dfrac{7}{10}$

13   $\dfrac{10}{13}$

14   $\dfrac{11}{12}$

15   $\dfrac{11}{15}$

16   $\dfrac{2}{3}$

17   $\dfrac{4}{9}$

18   $\dfrac{13}{15}$

19   $\dfrac{3}{4}$

20   $\dfrac{16}{29}$

21   $\dfrac{18}{25}$

22   $\dfrac{19}{30}$

23   $\dfrac{4}{5}$

24   $\dfrac{20}{33}$

25   $\dfrac{3}{5}$

26   $\dfrac{22}{39}$

27   $\dfrac{25}{27}$

28   $\dfrac{13}{15}$

29   $\dfrac{4}{5}$

30   $\dfrac{29}{40}$

31   $\dfrac{35}{51}$

14쪽

1   $\dfrac{3}{4}$

2   $\dfrac{4}{12}\left(=\dfrac{1}{3}\right)$

3   $\dfrac{5}{7}$

4   $\dfrac{8}{10}\left(=\dfrac{4}{5}\right)$

5   $\dfrac{10}{16}\left(=\dfrac{5}{8}\right)$

6   $\dfrac{2}{7}$

7   $\dfrac{2}{3}$

8   $\dfrac{5}{9}$

9   $\dfrac{4}{7}$

10   $\dfrac{9}{13}$

11   $\dfrac{14}{25}$

12   $\dfrac{17}{19}$

13   $\dfrac{20}{27}$

14   $\dfrac{23}{26}$

15   $\dfrac{7}{10}$

15쪽

16   $\dfrac{4}{11}\,\text{kg}$

17   $\dfrac{5}{15}\left(=\dfrac{1}{3}\right)$판

18   $\dfrac{8}{20}\left(=\dfrac{2}{5}\right)\text{L}$

19   $\dfrac{10}{17}\,\text{m}$

20   $\dfrac{15}{28}\,\text{kg}$

21   $\dfrac{24}{30}\left(=\dfrac{4}{5}\right)\text{kg}$

16쪽

1. $\dfrac{3}{2}, 1\dfrac{1}{2}$

2. $\dfrac{5}{3}, 1\dfrac{2}{3}$

3. $\dfrac{7}{4}, 1\dfrac{3}{4}$

4. $\dfrac{8}{7}, 1\dfrac{1}{7}$

5. $\dfrac{9}{8}, 1\dfrac{1}{8}$

6. $\dfrac{14}{9}, 1\dfrac{5}{9}$

17쪽

7. $\dfrac{4}{3}\left(=1\dfrac{1}{3}\right)$

8. $\dfrac{6}{5}\left(=1\dfrac{1}{5}\right)$

9. $\dfrac{8}{3}\left(=2\dfrac{2}{3}\right)$

10. $\dfrac{9}{2}\left(=4\dfrac{1}{2}\right)$

11. $\dfrac{5}{2}\left(=2\dfrac{1}{2}\right)$

12. $\dfrac{11}{6}\left(=1\dfrac{5}{6}\right)$

13. $\dfrac{12}{7}\left(=1\dfrac{5}{7}\right)$

14. $\dfrac{15}{13}\left(=1\dfrac{2}{13}\right)$

15. $\dfrac{16}{5}\left(=3\dfrac{1}{5}\right)$

16. $\dfrac{17}{10}\left(=1\dfrac{7}{10}\right)$

17. $\dfrac{10}{7}\left(=1\dfrac{3}{7}\right)$

18. $\dfrac{20}{19}\left(=1\dfrac{1}{19}\right)$

19. $\dfrac{21}{10}\left(=2\dfrac{1}{10}\right)$

20. $\dfrac{23}{12}\left(=1\dfrac{11}{12}\right)$

21. $\dfrac{24}{19}\left(=1\dfrac{5}{19}\right)$

22. $\dfrac{13}{4}\left(=3\dfrac{1}{4}\right)$

23. $\dfrac{7}{5}\left(=1\dfrac{2}{5}\right)$

24. $\dfrac{29}{5}\left(=5\dfrac{4}{5}\right)$

25. $\dfrac{29}{13}\left(=2\dfrac{3}{13}\right)$

26. $\dfrac{15}{8}\left(=1\dfrac{7}{8}\right)$

27. $\dfrac{31}{25}\left(=1\dfrac{6}{25}\right)$

28. $\dfrac{17}{8}\left(=2\dfrac{1}{8}\right)$

29. $\dfrac{35}{6}\left(=5\dfrac{5}{6}\right)$

30. $\dfrac{37}{20}\left(=1\dfrac{17}{20}\right)$

18쪽

1. $\dfrac{7}{3}, 2\dfrac{1}{3}$

2. $\dfrac{7}{6}, 1\dfrac{1}{6}$

3. $\dfrac{8}{5}, 1\dfrac{3}{5}$

4. $\dfrac{11}{2}, 5\dfrac{1}{2}$

5. $\dfrac{5}{2}\left(=2\dfrac{1}{2}\right)$

6. $\dfrac{3}{2}\left(=1\dfrac{1}{2}\right)$

7. $\dfrac{13}{9}\left(=1\dfrac{4}{9}\right)$

8. $\dfrac{7}{6}\left(=1\dfrac{1}{6}\right)$

9. $\dfrac{19}{5}\left(=3\dfrac{4}{5}\right)$

10. $\dfrac{11}{9}\left(=1\dfrac{2}{9}\right)$

11. $\dfrac{27}{25}\left(=1\dfrac{2}{25}\right)$

12. $\dfrac{32}{9}\left(=3\dfrac{5}{9}\right)$

13. $\dfrac{11}{7}\left(=1\dfrac{4}{7}\right)$

14. $\dfrac{9}{7}\left(=1\dfrac{2}{7}\right)$

19쪽

15. $\dfrac{7}{5}\left(=1\dfrac{2}{5}\right)$ m

16. $\dfrac{11}{5}\left(=2\dfrac{1}{5}\right)$ 장

17. $\dfrac{13}{6}\left(=2\dfrac{1}{6}\right)$ kg

18. $\dfrac{15}{2}\left(=7\dfrac{1}{2}\right)$ kg

19. $\dfrac{17}{8}\left(=2\dfrac{1}{8}\right)$ L

20. $\dfrac{20}{3}\left(=6\dfrac{2}{3}\right)$ m²

4. 분자가 자연수의 배수인 (분수)÷(자연수)

1 2, 1

2 3, 1

3 5, 1

4 9, 3

5 8, 2

6 16, 2

7 45, 5

8 36, 3

9 30, 3

10 $\dfrac{2}{5}$

11 $\dfrac{3}{13}$

12 $\dfrac{2}{19}$

13 $\dfrac{3}{22}$

14 $\dfrac{3}{25}$

15 $\dfrac{3}{28}$

16 $\dfrac{2}{29}$

17 $\dfrac{5}{31}$

18 $\dfrac{2}{35}$

19 $\dfrac{2}{43}$

20 $\dfrac{3}{46}$

21 $\dfrac{11}{47}$

22 $\dfrac{4}{49}$

23 $\dfrac{2}{55}$

24 $\dfrac{9}{2}\left(=4\dfrac{1}{2}\right)$

25 $\dfrac{7}{6}\left(=1\dfrac{1}{6}\right)$

26 $\dfrac{5}{7}$

27 $\dfrac{5}{11}$

28 $\dfrac{4}{19}$

29 $\dfrac{21}{20}\left(=1\dfrac{1}{20}\right)$

30 $\dfrac{5}{21}$

31 $\dfrac{5}{24}$

32 $\dfrac{8}{27}$

33 $\dfrac{7}{36}$

34 $\dfrac{5}{39}$

35 $\dfrac{17}{40}$

36 $\dfrac{8}{45}$

37 $\dfrac{3}{56}$

4. 분자가 자연수의 배수인 (분수)÷(자연수)

1 $\dfrac{4}{9}$

2 $\dfrac{1}{13}$

3 $\dfrac{2}{17}$

4 $\dfrac{6}{23}$

5 $\dfrac{2}{27}$

6 $\dfrac{2}{37}$

7 $\dfrac{6}{47}$

8 $\dfrac{8}{53}$

9 $\dfrac{3}{55}$

10 $\dfrac{2}{61}$

11 $\dfrac{11}{2}\left(=5\dfrac{1}{2}\right)$

12 $\dfrac{4}{3}\left(=1\dfrac{1}{3}\right)$

13 $\dfrac{7}{4}\left(=1\dfrac{3}{4}\right)$

14 $\dfrac{2}{5}$

15 $\dfrac{7}{5}\left(=1\dfrac{2}{5}\right)$

16 $\dfrac{4}{7}$

17 $\dfrac{14}{15}$

18 $\dfrac{5}{21}$

19 $\dfrac{3}{37}$

20 $\dfrac{7}{58}$

21 $\dfrac{4}{65}$

22 $\dfrac{1}{7}$ L

23 $\dfrac{3}{23}$ kg

24 $\dfrac{5}{27}$ m

25 $\dfrac{3}{17}$ kg

26 $\dfrac{4}{29}$ L

5. 분자가 자연수의 배수가 아닌 (분수)÷(자연수)

24쪽

1 4, 4, 8, 8, 1

2 3, 3, 3, 3, 1

3 4, 4, 28, 28, 7

4 2, 2, 18, 18, 3

5 $\dfrac{1}{12}$

6 $\dfrac{2}{15}$

7 $\dfrac{7}{16}$

8 $\dfrac{5}{72}$

9 $\dfrac{11}{45}$

10 $\dfrac{14}{85}$

11 $\dfrac{13}{126}$

12 $\dfrac{17}{40}$

25쪽

13 $\dfrac{3}{70}$

14 $\dfrac{5}{22}$

15 $\dfrac{4}{57}$

16 $\dfrac{2}{63}$

17 $\dfrac{6}{115}$

18 $\dfrac{1}{50}$

19 $\dfrac{4}{87}$

20 $\dfrac{4}{21}$

21 $\dfrac{13}{10}\left(=1\dfrac{3}{10}\right)$

22 $\dfrac{11}{54}$

23 $\dfrac{20}{33}$

24 $\dfrac{33}{80}$

25 $\dfrac{19}{54}$

26 $\dfrac{27}{100}$

27 $\dfrac{3}{8}$

28 $\dfrac{7}{20}$

29 $\dfrac{2}{21}$

30 $\dfrac{5}{84}$

31 $\dfrac{5}{34}$

32 $\dfrac{5}{69}$

33 $\dfrac{7}{74}$

5. 분자가 자연수의 배수가 아닌 (분수)÷(자연수)

26쪽

1 $\dfrac{1}{20}$

2 $\dfrac{1}{12}$

3 $\dfrac{1}{35}$

4 $\dfrac{2}{21}$

5 $\dfrac{3}{56}$

6 $\dfrac{1}{18}$

7 $\dfrac{7}{54}$

8 $\dfrac{2}{33}$

9 $\dfrac{1}{24}$

10 $\dfrac{13}{56}$

11 $\dfrac{7}{92}$

12 $\dfrac{9}{14}$

13 $\dfrac{7}{15}$

14 $\dfrac{1}{6}$

15 $\dfrac{5}{12}$

16 $\dfrac{1}{16}$

17 $\dfrac{14}{27}$

18 $\dfrac{2}{33}$

19 $\dfrac{2}{45}$

20 $\dfrac{23}{36}$

21 $\dfrac{3}{40}$

27쪽

22 $\dfrac{1}{10}$ L

23 $\dfrac{5}{32}$ m

24 $\dfrac{7}{45}$ kg

25 $\dfrac{13}{18}$ m

26 $\dfrac{3}{22}$ kg

6. (대분수) ÷ (자연수) (1)

28쪽

1 9, 9, 3, $\dfrac{3}{2}$, $1\dfrac{1}{2}$

2 45, 45, 15, $\dfrac{3}{16}$

3 7, 7, 14, 14, 14, $\dfrac{1}{8}$

4 43, 43, 129, 129, 3, $\dfrac{43}{57}$

5 $\dfrac{5}{2}\left(=2\dfrac{1}{2}\right)$

6 $\dfrac{1}{3}$

7 $\dfrac{1}{3}$

8 $\dfrac{3}{5}$

9 $\dfrac{5}{7}$

10 $\dfrac{5}{9}$

11 $\dfrac{3}{10}$

29쪽

12 $\dfrac{5}{11}$

13 $\dfrac{4}{17}$

14 $\dfrac{5}{18}$

15 $\dfrac{3}{20}$

16 $\dfrac{2}{21}$

17 $\dfrac{3}{22}$

18 $\dfrac{5}{27}$

19 $\dfrac{11}{10}\left(=1\dfrac{1}{10}\right)$

20 $\dfrac{13}{6}\left(=2\dfrac{1}{6}\right)$

21 $\dfrac{17}{21}$

22 $\dfrac{11}{18}$

23 $\dfrac{19}{18}\left(=1\dfrac{1}{18}\right)$

24 $\dfrac{9}{28}$

25 $\dfrac{35}{22}\left(=1\dfrac{13}{22}\right)$

26 $\dfrac{3}{20}$

27 $\dfrac{7}{54}$

28 $\dfrac{7}{20}$

29 $\dfrac{7}{39}$

30 $\dfrac{4}{75}$

31 $\dfrac{12}{85}$

32 $\dfrac{5}{42}$

6. (대분수) ÷ (자연수) (1)

30쪽

1 $\dfrac{1}{2}$

2 $\dfrac{8}{3}\left(=2\dfrac{2}{3}\right)$

3 $\dfrac{1}{5}$

4 $\dfrac{7}{6}\left(=1\dfrac{1}{6}\right)$

5 $\dfrac{7}{9}$

6 $\dfrac{21}{11}\left(=1\dfrac{10}{11}\right)$

7 $\dfrac{3}{22}$

8 $\dfrac{17}{25}$

9 $\dfrac{15}{32}$

10 $\dfrac{13}{77}$

11 $\dfrac{31}{42}$

12 $\dfrac{19}{136}$

13 $\dfrac{49}{36}\left(=1\dfrac{13}{36}\right)$

14 $\dfrac{53}{325}$

15 $\dfrac{2}{9}$

16 $\dfrac{3}{8}$

17 $\dfrac{3}{28}$

18 $\dfrac{16}{21}$

19 $\dfrac{3}{56}$

20 $\dfrac{28}{135}$

21 $\dfrac{5}{87}$

31쪽

22 $\dfrac{5}{12}$ L

23 $\dfrac{25}{12}\left(=2\dfrac{1}{12}\right)$ m

24 $\dfrac{8}{7}\left(=1\dfrac{1}{7}\right)$ kg

25 $\dfrac{38}{39}$ km

26 $\dfrac{7}{57}$ L

32쪽

1 $\dfrac{1}{24}$

2 $\dfrac{1}{38}$

3 $\dfrac{3}{7}$

4 $\dfrac{1}{3}$

5 $\dfrac{15}{4}$ $\left(=3\dfrac{3}{4}\right)$

6 $\dfrac{13}{5}$ $\left(=2\dfrac{3}{5}\right)$

7 $\dfrac{38}{17}\left(=2\dfrac{4}{17}\right)$

8 $\dfrac{1}{5}$

9 $\dfrac{3}{11}$

10 $\dfrac{5}{13}$

11 $\dfrac{4}{17}$

12 $\dfrac{1}{23}$

13 $\dfrac{4}{27}$

14 $\dfrac{6}{61}$

15 $\dfrac{1}{5}$

16 $\dfrac{7}{12}$

17 $\dfrac{2}{19}$

18 $\dfrac{4}{21}$

19 $\dfrac{13}{23}$

20 $\dfrac{3}{26}$

21 $\dfrac{2}{35}$

33쪽

22 $\dfrac{5}{18}$

23 $\dfrac{3}{28}$

24 $\dfrac{11}{28}$

25 $\dfrac{2}{135}$

26 $\dfrac{8}{175}$

27 $\dfrac{4}{135}$

28 $\dfrac{5}{116}$

29 $\dfrac{5}{84}$

30 $\dfrac{9}{8}$ $\left(=1\dfrac{1}{8}\right)$

31 $\dfrac{11}{36}$

32 $\dfrac{3}{26}$

33 $\dfrac{9}{64}$

34 $\dfrac{7}{80}$

35 $\dfrac{35}{144}$

36 $\dfrac{5}{81}$

37 $\dfrac{9}{62}$

38 $\dfrac{1}{5}$

39 $\dfrac{2}{7}$

40 $\dfrac{7}{15}$

41 $\dfrac{7}{20}$

42 $\dfrac{7}{4}$ $\left(=1\dfrac{3}{4}\right)$

43 $\dfrac{5}{12}$

44 $\dfrac{5}{16}$

45 $\dfrac{5}{26}$

34쪽

46 $\dfrac{7}{8}$개

47 $\dfrac{2}{17}$ kg

48 $\dfrac{4}{9}$ L

49 $\dfrac{3}{85}$ m

50 $\dfrac{23}{114}$ L

51 $\dfrac{9}{5}\left(=1\dfrac{4}{5}\right)$ m^2

52 $\dfrac{9}{8}\left(=1\dfrac{1}{8}\right)$ kg

2. 분수의 나눗셈 (2)

01 일차   1. (진분수)÷(자연수)

36쪽

1 $6, \dfrac{1}{18}$

2 $15, 18$

3 $10, 25$

4 $\dfrac{2}{15}$

5 $\dfrac{1}{36}$

6 $\dfrac{5}{18}$

7 $\dfrac{11}{24}$

8 $\dfrac{13}{70}$

9 $\dfrac{11}{80}$

10 $\dfrac{17}{96}$

11 $\dfrac{1}{25}$

12 $\dfrac{3}{7}$

13 $\dfrac{1}{9}$

14 $\dfrac{1}{44}$

15 $\dfrac{1}{36}$

16 $\dfrac{4}{17}$

17 $\dfrac{1}{100}$

37쪽

18 $\dfrac{2}{21}$

19 $\dfrac{3}{22}$

20 $\dfrac{1}{48}$

21 $\dfrac{1}{81}$

22 $\dfrac{2}{27}$

23 $\dfrac{1}{90}$

24 $\dfrac{3}{35}$

25 $\dfrac{4}{65}$

26 $\dfrac{2}{91}$

27 $\dfrac{3}{28}$

28 $\dfrac{4}{105}$

29 $\dfrac{3}{80}$

30 $\dfrac{5}{34}$

31 $\dfrac{2}{57}$

32 $\dfrac{2}{95}$

33 $\dfrac{2}{63}$

34 $\dfrac{6}{115}$

35 $\dfrac{2}{69}$

36 $\dfrac{3}{50}$

37 $\dfrac{5}{182}$

38 $\dfrac{2}{105}$

1. (진분수)÷(자연수)

38쪽

1 $\dfrac{1}{16}$

2 $\dfrac{2}{49}$

3 $\dfrac{5}{72}$

4 $\dfrac{5}{42}$

5 $\dfrac{7}{64}$

6 $\dfrac{19}{60}$

7 $\dfrac{13}{44}$

8 $\dfrac{1}{18}$

9 $\dfrac{1}{9}$

10 $\dfrac{1}{52}$

11 $\dfrac{7}{17}$

12 $\dfrac{3}{19}$

13 $\dfrac{1}{60}$

14 $\dfrac{1}{96}$

15 $\dfrac{3}{70}$

16 $\dfrac{3}{44}$

17 $\dfrac{3}{46}$

18 $\dfrac{5}{81}$

19 $\dfrac{3}{124}$

20 $\dfrac{2}{175}$

21 $\dfrac{5}{98}$

39쪽

22 $\dfrac{5}{11}$ L

23 $\dfrac{5}{91}$ kg

24 $\dfrac{2}{25}$ kg

25 $\dfrac{3}{26}$ L

26 $\dfrac{7}{66}$ L

2. (가분수)÷(자연수)

40쪽

1 $5, \dfrac{8}{15}$

2 $13, 4$

3 $10, 25$

4 $\dfrac{19}{8}\left(=2\dfrac{3}{8}\right)$

5 $\dfrac{7}{45}$

6 $\dfrac{7}{48}$

7 $\dfrac{10}{27}$

8 $\dfrac{26}{55}$

9 $\dfrac{30}{119}$

10 $\dfrac{33}{50}$

11 $\dfrac{1}{10}$

12 $\dfrac{1}{14}$

13 $\dfrac{1}{27}$

14 $\dfrac{7}{10}$

15 $\dfrac{1}{34}$

16 $\dfrac{1}{18}$

17 $\dfrac{5}{19}$

41쪽

18 $\dfrac{2}{21}$

19 $\dfrac{1}{69}$

20 $\dfrac{19}{25}$

21 $\dfrac{3}{26}$

22 $\dfrac{2}{27}$

23 $\dfrac{3}{31}$

24 $\dfrac{9}{32}$

25 $\dfrac{3}{28}$

26 $\dfrac{5}{16}$

27 $\dfrac{4}{33}$

28 $\dfrac{5}{52}$

29 $\dfrac{11}{56}$

30 $\dfrac{16}{75}$

31 $\dfrac{9}{64}$

32 $\dfrac{2}{63}$

33 $\dfrac{9}{44}$

34 $\dfrac{4}{69}$

35 $\dfrac{8}{75}$

36 $\dfrac{4}{81}$

37 $\dfrac{7}{60}$

38 $\dfrac{4}{105}$

2. (가분수)÷(자연수)

42쪽

1 $\dfrac{3}{16}$

2 $\dfrac{7}{18}$

3 $\dfrac{15}{28}$

4 $\dfrac{17}{40}$

5 $\dfrac{23}{90}$

6 $\dfrac{29}{36}$

7 $\dfrac{33}{80}$

8 $\dfrac{1}{15}$

9 $\dfrac{7}{6}\left(=1\dfrac{1}{6}\right)$

10 $\dfrac{1}{7}$

11 $\dfrac{5}{12}$

12 $\dfrac{3}{17}$

13 $\dfrac{5}{19}$

14 $\dfrac{3}{22}$

15 $\dfrac{11}{10}\left(=1\dfrac{1}{10}\right)$

16 $\dfrac{17}{45}$

17 $\dfrac{7}{30}$

18 $\dfrac{5}{52}$

19 $\dfrac{7}{96}$

20 $\dfrac{4}{69}$

21 $\dfrac{4}{75}$

43쪽

22 $\dfrac{2}{3}$ kg

23 $\dfrac{17}{10}\left(=1\dfrac{7}{10}\right)$ m²

24 $\dfrac{2}{7}$ L

25 $\dfrac{9}{56}$ kg

26 $\dfrac{19}{135}$ m

3. (대분수)÷(자연수) (2)

44쪽

1 5, 5, 6, $\dfrac{5}{24}$

2 13, 13, 5, $\dfrac{13}{40}$

3 8, 8, 16, 6

4 8, 8, 2, 4

5 55, 55, 22, 32

6 $\dfrac{9}{25}$

7 $\dfrac{37}{21}\left(=1\dfrac{16}{21}\right)$

8 $\dfrac{11}{16}$

9 $\dfrac{12}{77}$

10 $\dfrac{49}{48}\left(=1\dfrac{1}{48}\right)$

11 $\dfrac{61}{36}\left(=1\dfrac{25}{36}\right)$

12 $\dfrac{78}{133}$

45쪽

13 $\dfrac{21}{80}$

14 $\dfrac{95}{198}$

15 $\dfrac{72}{115}$

16 $\dfrac{65}{48}\left(=1\dfrac{17}{48}\right)$

17 $\dfrac{83}{54}\left(=1\dfrac{29}{54}\right)$

18 $\dfrac{43}{112}$

19 $\dfrac{37}{150}$

20 $\dfrac{1}{3}$

21 $\dfrac{4}{9}$

22 $\dfrac{1}{15}$

23 $\dfrac{2}{17}$

24 $\dfrac{5}{24}$

25 $\dfrac{5}{27}$

26 $\dfrac{11}{35}$

27 $\dfrac{7}{12}$

28 $\dfrac{11}{20}$

29 $\dfrac{7}{24}$

30 $\dfrac{12}{65}$

31 $\dfrac{5}{28}$

32 $\dfrac{5}{88}$

33 $\dfrac{5}{93}$

3. (대분수) ÷ (자연수) (2)

46쪽

1 $\frac{14}{9}\left(=1\frac{5}{9}\right)$ **8** $\frac{8}{3}\left(=2\frac{2}{3}\right)$ **15** $\frac{5}{8}$

2 $\frac{41}{18}\left(=2\frac{5}{18}\right)$ **9** $\frac{2}{5}$ **16** $\frac{5}{14}$

3 $\frac{38}{45}$ **10** $\frac{2}{11}$ **17** $\frac{9}{20}$

4 $\frac{56}{51}\left(=1\frac{5}{51}\right)$ **11** $\frac{1}{18}$ **18** $\frac{7}{20}$

5 $\frac{23}{76}$ **12** $\frac{4}{19}$ **19** $\frac{8}{45}$

6 $\frac{29}{56}$ **13** $\frac{4}{27}$ **20** $\frac{11}{30}$

7 $\frac{152}{105}\left(=1\frac{47}{105}\right)$ **14** $\frac{9}{31}$ **21** $\frac{20}{57}$

47쪽

22 $\frac{5}{8}$ kg

23 $\frac{13}{7}\left(=1\frac{6}{7}\right)$ m²

24 $\frac{28}{39}$ L

25 $\frac{5}{16}$ m

26 $\frac{4}{19}$ m

4. (분수) ÷ (자연수) × (자연수)

48쪽

1 21, 27 **3** $\frac{3}{7}$ **9** $\frac{15}{8}\left(=1\frac{7}{8}\right)$

2 13, 13, 9, 13 **4** $\frac{1}{3}$ **10** $\frac{10}{3}\left(=3\frac{1}{3}\right)$

5 $\frac{9}{4}\left(=2\frac{1}{4}\right)$ **11** 4

6 1 **12** $\frac{3}{4}$

7 $\frac{1}{2}$ **13** 6

8 $\frac{19}{4}\left(=4\frac{3}{4}\right)$ **14** 5

49쪽

15 $\frac{4}{7}$ **21** 52 **27** 30

16 $\frac{4}{3}\left(=1\frac{1}{3}\right)$ **22** $\frac{3}{2}\left(=1\frac{1}{2}\right)$ **28** $\frac{20}{11}\left(=1\frac{9}{11}\right)$

17 $\frac{49}{20}\left(=2\frac{9}{20}\right)$ **23** $\frac{7}{3}\left(=2\frac{1}{3}\right)$ **29** $\frac{2}{15}$

18 $\frac{27}{10}\left(=2\frac{7}{10}\right)$ **24** $\frac{4}{7}$ **30** $\frac{5}{14}$

19 $\frac{5}{14}$ **25** $\frac{9}{2}\left(=4\frac{1}{2}\right)$ **31** $\frac{15}{19}$

20 $\frac{48}{5}\left(=9\frac{3}{5}\right)$ **26** $\frac{4}{3}\left(=1\frac{1}{3}\right)$ **32** $\frac{15}{2}\left(=7\frac{1}{2}\right)$

4. (분수)÷(자연수)×(자연수)

50쪽

1 $\dfrac{7}{8}$　　7 $\dfrac{1}{3}$　　13 $\dfrac{16}{5}\left(=3\dfrac{1}{5}\right)$

2 $\dfrac{1}{4}$　　8 $\dfrac{2}{5}$　　14 $\dfrac{19}{2}\left(=9\dfrac{1}{2}\right)$

3 $\dfrac{1}{2}$　　9 $\dfrac{1}{2}$　　15 $\dfrac{13}{2}\left(=6\dfrac{1}{2}\right)$

4 $\dfrac{1}{2}$　　10 $\dfrac{8}{27}$　　16 $\dfrac{49}{12}\left(=4\dfrac{1}{12}\right)$

5 $\dfrac{1}{2}$　　11 $\dfrac{4}{23}$　　17 $\dfrac{5}{3}\left(=1\dfrac{2}{3}\right)$

6 $\dfrac{3}{2}\left(=1\dfrac{1}{2}\right)$　　12 $\dfrac{9}{2}\left(=4\dfrac{1}{2}\right)$　　18 $\dfrac{12}{5}\left(=2\dfrac{2}{5}\right)$

51쪽

19 $\dfrac{21}{8}\left(=2\dfrac{5}{8}\right)$　　25 2　　31 $\dfrac{70}{3}\left(=23\dfrac{1}{3}\right)$

20 $\dfrac{2}{7}$　　26 $\dfrac{2}{7}$　　32 $\dfrac{20}{19}\left(=1\dfrac{1}{19}\right)$

21 $\dfrac{20}{3}\left(=6\dfrac{2}{3}\right)$　　27 3　　33 $\dfrac{100}{11}$

22 $\dfrac{29}{3}\left(=9\dfrac{2}{3}\right)$　　28 $\dfrac{35}{54}$　　$\left(=9\dfrac{1}{11}\right)$

23 $\dfrac{24}{5}\left(=4\dfrac{4}{5}\right)$　　29 $\dfrac{8}{3}\left(=2\dfrac{2}{3}\right)$　　34 $\dfrac{19}{5}\left(=3\dfrac{4}{5}\right)$

24 $\dfrac{6}{29}$　　30 $\dfrac{10}{3}\left(=3\dfrac{1}{3}\right)$　　35 $\dfrac{1}{3}$

36 $\dfrac{1}{2}$

5. (분수)×(자연수)÷(자연수)

52쪽

1 18, 6　　3 $\dfrac{2}{15}$　　9 6

2 99, 99, 27, 11, 5, 1　　4 $\dfrac{1}{8}$　　10 $\dfrac{3}{2}\left(=1\dfrac{1}{2}\right)$

5 $\dfrac{1}{55}$　　11 3

6 $\dfrac{4}{9}$　　12 $\dfrac{7}{25}$

7 $\dfrac{3}{4}$　　13 $\dfrac{30}{49}$

8 $\dfrac{1}{21}$　　14 $\dfrac{27}{2}\left(=13\dfrac{1}{2}\right)$

53쪽

15 $\dfrac{10}{3}\left(=3\dfrac{1}{3}\right)$　　21 $\dfrac{6}{5}\left(=1\dfrac{1}{5}\right)$　　27 $\dfrac{5}{18}$

16 3　　22 $\dfrac{4}{3}\left(=1\dfrac{1}{3}\right)$　　28 $\dfrac{18}{5}\left(=3\dfrac{3}{5}\right)$

17 2　　23 $\dfrac{55}{8}\left(=6\dfrac{7}{8}\right)$　　29 $\dfrac{43}{18}\left(=2\dfrac{7}{18}\right)$

18 $\dfrac{3}{5}$　　24 $\dfrac{11}{3}\left(=3\dfrac{2}{3}\right)$　　30 $\dfrac{77}{24}\left(=3\dfrac{5}{24}\right)$

19 $\dfrac{27}{10}\left(=2\dfrac{7}{10}\right)$　　25 $\dfrac{3}{4}$　　31 $\dfrac{8}{17}$

20 $\dfrac{25}{12}\left(=2\dfrac{1}{12}\right)$　　26 $\dfrac{3}{2}\left(=1\dfrac{1}{2}\right)$　　32 $\dfrac{3}{7}$

10
일차

5. (분수) × (자연수) ÷ (자연수)

54쪽

1 $\dfrac{4}{5}$

2 $\dfrac{1}{3}$

3 $\dfrac{1}{16}$

4 $\dfrac{3}{10}$

5 $\dfrac{2}{11}$

6 $\dfrac{1}{4}$

7 $\dfrac{3}{17}$

8 $\dfrac{7}{6}\left(=1\dfrac{1}{6}\right)$

9 1

10 $\dfrac{6}{25}$

11 $\dfrac{2}{7}$

12 $\dfrac{4}{7}$

13 4

14 $\dfrac{5}{2}\left(=2\dfrac{1}{2}\right)$

15 $\dfrac{48}{5}\left(=9\dfrac{3}{5}\right)$

16 $\dfrac{30}{7}\left(=4\dfrac{2}{7}\right)$

17 4

18 $\dfrac{3}{4}$

55쪽

19 $\dfrac{16}{3}\left(=5\dfrac{1}{3}\right)$

20 $\dfrac{25}{6}\left(=4\dfrac{1}{6}\right)$

21 3

22 2

23 $\dfrac{51}{5}\left(=10\dfrac{1}{5}\right)$

24 $\dfrac{7}{6}\left(=1\dfrac{1}{6}\right)$

25 3

26 $\dfrac{25}{8}\left(=3\dfrac{1}{8}\right)$

27 4

28 $\dfrac{1}{4}$

29 $\dfrac{28}{51}$

30 $\dfrac{1}{7}$

31 $\dfrac{15}{4}\left(=3\dfrac{3}{4}\right)$

32 $\dfrac{11}{7}\left(=1\dfrac{4}{7}\right)$

33 $\dfrac{10}{17}$

34 3

35 $\dfrac{26}{3}\left(=8\dfrac{2}{3}\right)$

36 $\dfrac{36}{29}\left(=1\dfrac{7}{29}\right)$

11
일차

6. (분수) ÷ (자연수) ÷ (자연수)

56쪽

1 20, 4, 136

2 33, 33, 3, 4, 11

3 $\dfrac{1}{150}$

4 $\dfrac{1}{63}$

5 $\dfrac{1}{96}$

6 $\dfrac{1}{260}$

7 $\dfrac{2}{69}$

8 $\dfrac{1}{162}$

9 $\dfrac{1}{8}$

10 $\dfrac{7}{96}$

11 $\dfrac{1}{30}$

12 $\dfrac{1}{14}$

13 $\dfrac{1}{36}$

14 $\dfrac{1}{60}$

57쪽

15 $\dfrac{5}{504}$

16 $\dfrac{17}{260}$

17 $\dfrac{1}{42}$

18 $\dfrac{1}{16}$

19 $\dfrac{1}{20}$

20 $\dfrac{3}{253}$

21 $\dfrac{1}{18}$

22 $\dfrac{1}{32}$

23 $\dfrac{1}{21}$

24 $\dfrac{1}{7}$

25 $\dfrac{1}{56}$

26 $\dfrac{1}{54}$

27 $\dfrac{3}{20}$

28 $\dfrac{7}{88}$

29 $\dfrac{1}{33}$

30 $\dfrac{29}{675}$

31 $\dfrac{5}{108}$

32 $\dfrac{3}{44}$

12 일차 **6. (분수) ÷ (자연수) ÷ (자연수)**

58쪽

1. $\dfrac{1}{24}$ 　7. $\dfrac{1}{152}$ 　13. $\dfrac{1}{32}$

2. $\dfrac{1}{18}$ 　8. $\dfrac{1}{126}$ 　14. $\dfrac{1}{20}$

3. $\dfrac{5}{252}$ 　9. $\dfrac{1}{375}$ 　15. $\dfrac{3}{56}$

4. $\dfrac{1}{192}$ 　10. $\dfrac{1}{58}$ 　16. $\dfrac{10}{81}$

5. $\dfrac{2}{465}$ 　11. $\dfrac{1}{240}$ 　17. $\dfrac{5}{88}$

6. $\dfrac{1}{160}$ 　12. $\dfrac{3}{88}$ 　18. $\dfrac{3}{196}$

59쪽

19. $\dfrac{1}{34}$ 　25. $\dfrac{1}{48}$ 　31. $\dfrac{5}{196}$

20. $\dfrac{1}{80}$ 　26. $\dfrac{1}{32}$ 　32. $\dfrac{1}{64}$

21. $\dfrac{1}{216}$ 　27. $\dfrac{1}{10}$ 　33. $\dfrac{1}{578}$

22. $\dfrac{3}{130}$ 　28. $\dfrac{41}{72}$ 　34. $\dfrac{1}{20}$

23. $\dfrac{11}{300}$ 　29. $\dfrac{1}{104}$ 　35. $\dfrac{1}{25}$

24. $\dfrac{5}{72}$ 　30. $\dfrac{2}{39}$ 　36. $\dfrac{2}{87}$

---

13 일차 **연산&문장제 마무리**

60쪽

1. $\dfrac{7}{50}$ 　8. $\dfrac{17}{6}$ $\left(=2\dfrac{5}{6}\right)$ 　15. $\dfrac{11}{8}$ $\left(=1\dfrac{3}{8}\right)$

2. $\dfrac{13}{80}$

3. $\dfrac{1}{15}$ 　9. $\dfrac{5}{12}$ 　16. $\dfrac{13}{160}$

4. $\dfrac{1}{45}$ 　10. $\dfrac{6}{13}$ 　17. $\dfrac{8}{9}$

5. $\dfrac{1}{56}$ 　11. $\dfrac{11}{18}$ 　18. $\dfrac{1}{24}$

6. $\dfrac{2}{63}$ 　12. $\dfrac{1}{50}$ 　19. $\dfrac{2}{17}$

7. $\dfrac{2}{115}$ 　13. $\dfrac{4}{135}$ 　20. $\dfrac{5}{72}$

　14. $\dfrac{7}{68}$ 　21. $\dfrac{9}{52}$

61쪽

22. 1 　30. $\dfrac{2}{3}$ 　38. $\dfrac{2}{135}$

23. $\dfrac{12}{11}$ $\left(=1\dfrac{1}{11}\right)$ 　31. $\dfrac{1}{2}$ 　39. $\dfrac{2}{45}$

　32. $\dfrac{5}{8}$ 　40. $\dfrac{1}{138}$

24. $\dfrac{3}{4}$ 　33. $\dfrac{3}{2}$ 　41. $\dfrac{4}{189}$

25. $\dfrac{4}{7}$ 　34. $\dfrac{14}{3}$ $\left(=4\dfrac{2}{3}\right)$ 　42. $\dfrac{1}{56}$

26. $\dfrac{14}{55}$ 　43. $\dfrac{7}{240}$

27. 5 　35. $\dfrac{7}{4}$ $\left(=1\dfrac{3}{4}\right)$ 　44. $\dfrac{1}{30}$

28. $\dfrac{4}{3}$ $\left(=1\dfrac{1}{3}\right)$ 　45. $\dfrac{1}{26}$

29. $\dfrac{15}{14}$ $\left(=1\dfrac{1}{14}\right)$ 　36. 14 　37. $\dfrac{10}{3}$ $\left(=3\dfrac{1}{3}\right)$

62쪽

46. $\dfrac{13}{48}$ L

47. $\dfrac{1}{17}$ m

48. $\dfrac{8}{75}$ kg

49. $\dfrac{3}{2}\left(=1\dfrac{1}{2}\right)$ m²

50. $\dfrac{11}{7}\left(=1\dfrac{4}{7}\right)$ L

51. $\dfrac{3}{4}$ m

52. $\dfrac{10}{27}$ kg

3. 소수의 나눗셈 (1)

01 일차 · 1. 자연수의 나눗셈을 이용한 (소수)÷(자연수)

64쪽

1. 1.8
2. 2.4
3. 1.2
4. 3.6
5. 1.9
6. 3.2
7. 5.3
8. 4.9
9. 1.13
10. 1.22
11. 1.22
12. 1.11
13. 2.84
14. 2.31
15. 1.84

65쪽

16. 1.26
17. 1.57
18. 2.06
19. 1.27
20. 1.16
21. 1.61
22. 1.09
23. 117, 11.7
24. 119, 11.9
25. 121, 12.1
26. 105, 10.5
27. 161, 16.1
28. 356, 35.6
29. 243, 24.3
30. 129, 1.29
31. 124, 1.24
32. 175, 1.75
33. 148, 1.48
34. 101, 1.01
35. 133, 1.33
36. 123, 1.23

02 일차 · 1. 자연수의 나눗셈을 이용한 (소수)÷(자연수)

66쪽

1. 13.8, 1.38
2. 14.6, 1.46
3. 13.8, 1.38
4. 10.2, 1.02
5. 13.2, 1.32
6. 11.2, 1.12
7. 103, 10.3, 1.03
8. 112, 11.2, 1.12
9. 213, 21.3, 2.13
10. 129, 12.9, 1.29
11. 178, 17.8, 1.78
12. 108, 10.8, 1.08
13. 145, 14.5, 1.45
14. 119, 11.9, 1.19
15. 216, 21.6, 2.16
16. 106, 10.6, 1.06
17. 191, 19.1, 1.91
18. 124, 12.4, 1.24

67쪽

19. 2.8 cm
20. 11.2 cm
21. 1.14 m
22. 1.55 m

03 일차 · 2. 몫이 소수 한 자리 수인 (소수)÷(자연수) (1)

68쪽

1. 51, 51, 17, 1.7
2. 276, 276, 23, 2.3
3. 14, $\frac{1}{10}$, $\frac{1}{10}$, 1.4
4. 66, $\frac{1}{10}$, $\frac{1}{10}$, 6.6
5. 139, $\frac{1}{10}$, $\frac{1}{10}$, 13.9
6. 3.8
7. 2.3
8. 1.8
9. 5.4
10. 4.3
11. 4.7
12. 2.6
13. 5.3

69쪽

14. 2.3
15. 5.3
16. 11.8
17. 3.7
18. 4.9
19. 12.3
20. 15.6
21. 2.5
22. 9.8
23. 14.3
24. 24.5
25. 9.4
26. 3.9
27. 3.6
28. 27.7
29. 9.8
30. 5.4
31. 23.3
32. 8.1
33. 13.7
34. 25.1

04 일차 2. 몫이 소수 한 자리 수인 (소수)÷(자연수) (1)

70쪽

1	1.6	9	5.7	17	16.3
2	1.9	10	12.8	18	28.2
3	2.5	11	4.6	19	7.6
4	2.2	12	8.9	20	15.6
5	3.2	13	13.1	21	13.4
6	2.9	14	3.8	22	11.9
7	17.6	15	4.3	23	19.6
8	2.7	16	19.7	24	18.2

71쪽

25	2.5 L
26	5.2 g
27	14.6 m
28	11.9 kg
29	6.3 cm

05 일차 3. 몫이 소수 한 자리 수인 (소수)÷(자연수) (2)

72쪽

1	1.4	3	4.1	5	1.7
2	18.7	4	15.4	6	3.4
				7	5.9
				8	3.3
				9	2.6
				10	5.8
				11	13.6

73쪽

12	8.5	19	6.4	26	6.5
13	6.8	20	3.2	27	3.6
14	13.3	21	4.3	28	6.8
15	12.3	22	2.6	29	29.9
16	12.2	23	6.5	30	3.7
17	4.9	24	8.9	31	5.8
18	4.4	25	12.5	32	33.6

06 일차 3. 몫이 소수 한 자리 수인 (소수)÷(자연수) (2)

74쪽

1	1.7	8	26.8	15	2.8
2	3.3	9	7.3	16	2.1
3	6.9	10	3.4	17	6.4
4	4.2	11	8.5	18	6.3
5	2.3	12	16.5	19	36.7
6	8.7	13	5.2	20	9.3
7	7.3	14	24.3	21	13.6

75쪽

22	3.7 L
23	5.3 cm
24	7.2 g

4. 몫이 소수 두 자리 수인 (소수)÷(자연수) (1)

76쪽

1 798, 798, 399, 3.99

2 1325, 1325, 265, 2.65

3 136, $\frac{1}{100}$, $\frac{1}{100}$, 1.36

4 357, $\frac{1}{100}$, $\frac{1}{100}$, 3.57

5 432, $\frac{1}{100}$, $\frac{1}{100}$, 4.32

6 2.37
7 1.37
8 1.23
9 1.78
10 3.67
11 8.77
12 4.33
13 5.17

77쪽

14 2.46
15 4.26
16 13.45
17 4.68
18 6.37
19 9.83
20 17.56

21 27.18
22 8.43
23 15.29
24 7.68
25 11.94
26 37.47
27 26.58

28 16.33
29 9.62
30 29.75
31 45.76
32 23.56
33 13.94
34 16.62

4. 몫이 소수 두 자리 수인 (소수)÷(자연수) (1)

78쪽

1 1.47
2 2.87
3 5.96
4 2.83
5 8.45
6 1.76
7 9.48
8 6.87

9 21.67
10 3.71
11 9.39
12 7.29
13 8.72
14 6.46
15 19.79
16 7.64

17 15.89
18 4.59
19 13.95
20 12.69
21 8.83
22 27.97
23 13.76
24 12.14

79쪽

25 2.83 L
26 9.14 kg
27 8.18 m
28 24.96 L
29 14.12 kg

5. 몫이 소수 두 자리 수인 (소수)÷(자연수) (2)

80쪽

1 4.66
2 9.53
3 6.48
4 36.76
5 1.33
6 6.45
7 3.82
8 6.14
9 5.14
10 6.59
11 26.96

81쪽

12 12.43
13 9.42
14 35.99
15 25.24
16 16.83
17 9.74
18 11.39

19 1.29
20 2.36
21 3.52
22 6.75
23 9.79
24 14.37
25 8.26

26 9.97
27 15.84
28 8.23
29 8.42
30 12.18
31 46.88
32 24.84

5. 몫이 소수 두 자리 수인 (소수)÷(자연수) (2)

82쪽
1 1.78
2 1.68
3 4.96
4 6.43
5 6.78
6 9.33
7 16.37

8 13.44
9 6.19
10 15.44
11 9.76
12 14.59
13 29.56
14 11.52

15 1.28
16 2.25
17 6.37
18 4.49
19 6.14
20 7.26
21 13.54

83쪽
22 7.87 kg
23 3.28 km

6. 몫이 1보다 작은 소수인 (소수)÷(자연수) (1)

84쪽
1 6, 6, 3, 0.3
2 32, 32, 8, 0.8
3 85, 85, 17, 0.17
4 301, 301, 43, 0.43
5 0.4
6 0.7
7 0.4
8 0.2
9 0.7
10 0.9
11 0.2
12 0.3

85쪽
13 0.6
14 0.8
15 0.7
16 0.9
17 0.5
18 0.6
19 0.8

20 0.23
21 0.19
22 0.27
23 0.43
24 0.31
25 0.59
26 0.37

27 0.64
28 0.49
29 0.97
30 0.77
31 0.83
32 0.89
33 0.94

6. 몫이 1보다 작은 소수인 (소수)÷(자연수) (1)

86쪽
1 0.2
2 0.6
3 0.5
4 0.3
5 0.8
6 0.4
7 0.9
8 0.7

9 0.11
10 0.29
11 0.64
12 0.57
13 0.52
14 0.39
15 0.54
16 0.48

17 0.86
18 0.83
19 0.72
20 0.86
21 0.91
22 0.72
23 0.82
24 0.98

87쪽
25 0.3 L
26 0.6 m
27 0.12 L
28 0.52 m
29 0.63 kg

13 일차   7. 몫이 1보다 작은 소수인 (소수)÷(자연수) (2)

88쪽

1 0.5	**4** 0.16	**7** 0.2
2 0.9	**5** 0.46	**8** 0.2
3 0.8	**6** 0.96	**9** 0.9
		10 0.3
		11 0.6
		12 0.5
		13 0.8

89쪽

14 0.4	**21** 0.13	**28** 0.35
15 0.5	**22** 0.39	**29** 0.75
16 0.7	**23** 0.16	**30** 0.67
17 0.6	**24** 0.19	**31** 0.62
18 0.7	**25** 0.31	**32** 0.89
19 0.8	**26** 0.74	**33** 0.96
20 0.9	**27** 0.73	**34** 0.93

14 일차   7. 몫이 1보다 작은 소수인 (소수)÷(자연수) (2)

90쪽

1 0.8	**8** 0.36	**15** 0.6
2 0.2	**9** 0.54	**16** 0.9
3 0.7	**10** 0.49	**17** 0.9
4 0.9	**11** 0.44	**18** 0.27
5 0.6	**12** 0.85	**19** 0.81
6 0.5	**13** 0.87	**20** 0.55
7 0.7	**14** 0.95	**21** 0.92

91쪽

22 0.35 kg
23 0.98 km
24 0.67 m

15 일차   연산&문장제 마무리

92쪽

1 1.4	**8** 4.2	**15** 1.27
2 2.6	**9** 6.2	**16** 1.14
3 1.3	**10** 9.7	**17** 5.76
4 1.8	**11** 15.9	**18** 3.83
5 2.3	**12** 26.9	**19** 6.37
6 2.9	**13** 26.6	**20** 2.64
7 7.7	**14** 32.2	**21** 7.54

93쪽

22 5.33	**30** 0.3	**38** 0.38
23 9.96	**31** 0.6	**39** 0.47
24 6.17	**32** 0.4	**40** 0.43
25 29.57	**33** 0.4	**41** 0.76
26 7.84	**34** 0.3	**42** 0.69
27 14.25	**35** 0.2	**43** 0.51
28 8.32	**36** 0.5	**44** 0.61
29 11.23	**37** 0.9	**45** 0.89

94쪽

46 3.6 kg
47 3.7 m
48 1.44 km
49 1.85 kg
50 9.57 cm
51 0.6 m
52 0.24 L

4. 소수의 나눗셈 (2)

01 일차   1. 소수점 아래 0을 내려 계산해야 하는 (소수)÷(자연수) (1)

96쪽

1. 33, 330, 330, 55, 0.55
2. 74, 740, 740, 148, 1.48
3. 348, 3480, 3480, 435, 0.435
4. 0.16
5. 0.95
6. 0.45
7. 0.22
8. 1.35
9. 0.75
10. 3.85
11. 1.58

97쪽

12. 0.78
13. 2.15
14. 1.34
15. 5.15
16. 3.74
17. 12.26
18. 16.25
19. 0.112
20. 0.115
21. 0.185
22. 0.576
23. 0.386
24. 2.115
25. 0.632
26. 1.365
27. 1.115
28. 3.948
29. 1.185
30. 9.855
31. 3.224
32. 12.436

02 일차   1. 소수점 아래 0을 내려 계산해야 하는 (소수)÷(자연수) (1)

98쪽

1. 0.15
2. 0.42
3. 2.35
4. 0.46
5. 2.35
6. 1.35
7. 0.78
8. 1.25
9. 8.45
10. 7.38
11. 8.26
12. 6.15
13. 3.45
14. 2.74
15. 5.25
16. 5.74
17. 0.142
18. 0.175
19. 1.386
20. 2.195
21. 1.584
22. 3.115
23. 3.295
24. 3.195

99쪽

25. 0.24 kg
26. 0.45 L
27. 1.22 cm^2
28. 1.145 m
29. 3.365 kg

03 일차   2. 소수점 아래 0을 내려 계산해야 하는 (소수)÷(자연수) (2)

100쪽

1. 0.44
2. 1.25
3. 1.135
4. 1.532
5. 1.175
6. 0.35
7. 1.15
8. 2.64
9. 5.14
10. 3.45
11. 17.35
12. 2.64

101쪽

13. 0.185
14. 0.564
15. 0.372
16. 3.135
17. 2.365
18. 4.715
19. 3.195
20. 0.78
21. 5.25
22. 1.25
23. 2.15
24. 8.55
25. 39.15
26. 5.36
27. 1.175
28. 1.652
29. 1.235
30. 4.266
31. 6.512
32. 2.115
33. 21.675

04 일차

2. 소수점 아래 0을 내려 계산해야 하는 (소수)÷(자연수) (2)

102쪽

1	0.15	8	0.165	15	0.25
2	1.35	9	0.175	16	1.24
3	0.55	10	2.195	17	2.14
4	2.15	11	1.485	18	19.35
5	4.32	12	4.744	19	0.135
6	7.65	13	2.175	20	0.618
7	4.45	14	2.235	21	2.528

103쪽

22 3.175 kg
23 4.135 L

05 일차

3. 몫의 소수 첫째 자리에 0이 있는 (소수)÷(자연수) (1)

104쪽

1 212, 212, 106, 1.06
2 52, 520, 520, 104, 1.04
3 183, 1830, 1830, 305, 3.05

4	1.04
5	1.09
6	1.06
7	1.05
8	4.07
9	3.08
10	2.04
11	3.04

105쪽

12	5.09	19	0.04	26	2.05
13	7.08	20	3.05	27	9.08
14	9.08	21	2.05	28	3.06
15	8.03	22	1.02	29	7.05
16	8.06	23	4.05	30	5.05
17	9.06	24	6.02	31	3.06
18	9.02	25	1.05	32	4.05

06 일차

3. 몫의 소수 첫째 자리에 0이 있는 (소수)÷(자연수) (1)

106쪽

1	1.08	9	5.05	17	2.05
2	1.05	10	3.09	18	2.06
3	1.07	11	4.03	19	1.05
4	1.02	12	4.07	20	1.08
5	2.09	13	5.03	21	6.05
6	1.08	14	2.05	22	2.04
7	1.05	15	6.02	23	2.06
8	4.09	16	5.07	24	4.05

107쪽

25 6.08 kg
26 9.08 L
27 8.07 kg
28 3.05 m
29 9.05 g

07 일차 4. 몫의 소수 첫째 자리에 0이 있는 (소수)÷(자연수) (2)

108쪽

1 1.09
2 2.05

3 1.02
4 2.05
5 3.08

6 2.06
7 1.09
8 3.05
9 3.07
10 1.05
11 5.08
12 6.07

109쪽

13 1.08
14 2.04
15 1.05
16 8.05
17 1.04
18 2.06
19 2.05

20 1.06
21 2.07
22 5.06
23 3.09
24 2.03
25 7.09
26 3.05

27 1.05
28 3.02
29 5.02
30 3.05
31 2.06
32 2.05
33 4.04

08 일차 4. 몫의 소수 첫째 자리에 0이 있는 (소수)÷(자연수) (2)

110쪽

1 1.08
2 2.09
3 2.06
4 3.02
5 2.05
6 3.04

7 1.05
8 3.06
9 1.06
10 5.06
11 14.05
12 2.08

13 1.03
14 4.09
15 1.05
16 4.04
17 6.05
18 2.05

111쪽

19 1.07 m
20 5.07 m²
21 2.08 L

09 일차 5. (자연수)÷(자연수) (1)

112쪽

1 5, 5, 65, 6.5
2 25, 25, 475, 4.75
3 14, 14, 4, 4
   56, 0.56

4 0.8
5 1.4
6 10.5
7 0.08
8 2.75
9 0.72
10 0.625
11 0.088

113쪽

12 0.4
13 1.5
14 3.2
15 1.8
16 16.5
17 7.5
18 15.5

19 0.16
20 2.25
21 0.44
22 0.32
23 1.16
24 3.25
25 5.25

26 0.048
27 1.375
28 0.875
29 3.625
30 1.875
31 1.625
32 0.328

10 일차 5. (자연수)÷(자연수) (1)

114쪽

1	0.5	9	0.25	17	0.125
2	2.2	10	0.24	18	0.024
3	5.5	11	1.75	19	2.125
4	19.5	12	7.25	20	0.192
5	21.5	13	5.75	21	1.125
6	2.6	14	1.08	22	3.375
7	3.8	15	3.05	23	2.625
8	11.5	16	10.25	24	2.875

115쪽

25	1.8 kg
26	2.8 kg
27	0.75 m
28	4.25 km
29	0.625 L

11 일차 6. (자연수)÷(자연수) (2)

116쪽

1	3.5	3	1.5	10	4.5
2	2.875	4	1.4	11	1.6
		5	8.5	12	2.2
		6	1.5	13	2.5
		7	3.8	14	5.5
		8	1.6	15	3.6
		9	2.6	16	12.5

117쪽

17	0.32	24	9.25	31	0.875
18	1.25	25	2.05	32	0.625
19	0.75	26	6.75	33	0.168
20	1.75	27	2.75	34	1.125
21	6.25	28	2.84	35	2.375
22	2.25	29	3.04	36	2.125
23	0.64	30	11.25	37	1.625

12 일차 6. (자연수)÷(자연수) (2)

118쪽

1	0.4	7	0.25	13	0.375
2	5.5	8	0.12	14	0.125
3	2.5	9	0.36	15	0.625
4	3.5	10	4.25	16	0.144
5	6.5	11	2.75	17	3.125
6	4.5	12	4.75	18	1.875

119쪽

19	2.6 kg
20	0.75 L
21	0.16 kg

13 일차 연산&문장제 마무리

120쪽

1 1.46	**8** 0.156	**15** 3.09
2 1.35	**9** 3.115	**16** 8.07
3 1.15	**10** 1.135	**17** 6.05
4 1.28	**11** 2.135	**18** 7.03
5 5.65	**12** 8.985	**19** 9.04
6 3.45	**13** 9.725	**20** 3.05
7 8.75	**14** 14.682	**21** 4.05

121쪽

22 1.06	**30** 3.5	**38** 2.75
23 1.05	**31** 1.2	**39** 1.64
24 2.05	**32** 12.5	**40** 2.04
25 1.08	**33** 6.5	**41** 1.125
26 5.04	**34** 7.5	**42** 0.096
27 2.08	**35** 12.6	**43** 2.375
28 8.08	**36** 0.48	**44** 1.875
29 3.05	**37** 3.25	**45** 3.625

122쪽

46 0.34 kg
47 14.395 kg
48 5.06 L
49 1.05 m
50 1.4 m
51 6.75 m
52 4.375 g

5. 비와 비율

01 일차 1. 비로 나타내기

124쪽

1 3, 5	**4** 7, 6
2 2, 7	**5** 5, 4
3 6, 5	**6** 3, 4
	7 9, 8
	8 6, 4

125쪽

9 5:7	**16** 7:10	**23** 25:18
10 9:4	**17** 14:5	**24** 29:15
11 12:11	**18** 19:16	**25** 9:5
12 16:19	**19** 27:25	**26** 13:10
13 20:9	**20** 7:3	**27** 18:19
14 21:28	**21** 15:8	**28** 24:7
15 6:13	**22** 23:14	**29** 29:16

02 일차 1. 비로 나타내기

126쪽

1 3, 7 / 3, 7 / 7, 3 / 3, 7	**6** 20, 27 / 20, 27 / 27, 20 / 20, 27
2 8, 15 / 8, 15 / 15, 8 / 8, 15	**7** 22, 5 / 22, 5 / 5, 22 / 22, 5
3 11, 4 / 11, 4 / 4, 11 / 11, 4	**8** 26, 31 / 26, 31 / 31, 26 / 26, 31
4 14, 23 / 14, 23 / 23, 14 / 14, 23	**9** 28, 25 / 28, 25 / 25, 28 / 28, 25
5 16, 9 / 16, 9 / 9, 16 / 16, 9	**10** 32, 21 / 32, 21 / 21, 32 / 32, 21

127쪽

11 2:9
12 4:5
13 6:7
14 5:8
15 12:13

2. 비율을 분수로 나타내기

128쪽

1) $1, 4, \dfrac{1}{4}$

2) $7, 5, \dfrac{7}{5}$

3) $14, 16,$
   $\dfrac{14}{16}\left(=\dfrac{7}{8}\right)$

4) $8, 12,$
   $\dfrac{8}{12}\left(=\dfrac{2}{3}\right)$

5) $17, 3, \dfrac{17}{3}$

6) $9, 13, \dfrac{9}{13}$

7) $12, 5, \dfrac{12}{5}$

8) $17, 20, \dfrac{17}{20}$

9) $21, 17, \dfrac{21}{17}$

10) $8, 24,$
    $\dfrac{8}{24}\left(=\dfrac{1}{3}\right)$

11) $32, 31, \dfrac{32}{31}$

12) $13, 19, \dfrac{13}{19}$

13) $21, 25, \dfrac{21}{25}$

129쪽

14) $\dfrac{4}{7}$

15) $\dfrac{11}{8}$

16) $\dfrac{18}{17}$

17) $\dfrac{10}{15}\left(=\dfrac{2}{3}\right)$

18) $\dfrac{6}{19}$

19) $\dfrac{24}{35}$

20) $\dfrac{17}{10}$

21) $\dfrac{19}{14}$

22) $\dfrac{22}{27}$

23) $\dfrac{30}{7}$

24) $\dfrac{17}{24}$

25) $\dfrac{12}{30}\left(=\dfrac{2}{5}\right)$

26) $\dfrac{19}{32}$

27) $\dfrac{31}{40}$

28) $\dfrac{23}{18}$

29) $\dfrac{21}{10}$

30) $\dfrac{26}{30}\left(=\dfrac{13}{15}\right)$

31) $\dfrac{32}{45}$

2. 비율을 분수로 나타내기

130쪽

1) $\dfrac{1}{5}$

2) $\dfrac{3}{10}$

3) $\dfrac{8}{5}$

4) $\dfrac{9}{12}\left(=\dfrac{3}{4}\right)$

5) $\dfrac{7}{12}$

6) $\dfrac{16}{11}$

7) $\dfrac{18}{31}$

8) $\dfrac{14}{21}\left(=\dfrac{2}{3}\right)$

9) $\dfrac{23}{28}$

10) $\dfrac{24}{55}$

11) $\dfrac{26}{25}$

12) $\dfrac{29}{33}$

13) $\dfrac{31}{38}$

14) $\dfrac{35}{42}\left(=\dfrac{5}{6}\right)$

15) $\dfrac{36}{7}$

16) $\dfrac{39}{37}$

17) $\dfrac{40}{44}\left(=\dfrac{10}{11}\right)$

18) $\dfrac{41}{50}$

19) $\dfrac{45}{49}$

20) $\dfrac{46}{48}\left(=\dfrac{23}{24}\right)$

21) $\dfrac{51}{52}$

131쪽

22) $\dfrac{2}{5}$

23) $\dfrac{3}{8}$

24) $\dfrac{14}{9}$

25) $\dfrac{20}{25}\left(=\dfrac{4}{5}\right)$

26) $\dfrac{27}{32}$

3. 비율을 소수로 나타내기

132쪽

1) $15, 12, 1.25$

2) $23, 50, 0.46$

3) $11, 2, 5.5$

4) $15, 6, 2.5$

5) $19, 20, 0.95$

6) $17, 4, 4.25$

7) $21, 40, 0.525$

8) $23, 10, 2.3$

9) $12, 16, 0.75$

10) $31, 25, 1.24$

11) $14, 20, 0.7$

12) $19, 5, 3.8$

13) $28, 35, 0.8$

133쪽

14) 0.125

15) 4.5

16) 0.4

17) 0.25

18) 0.55

19) 0.4

20) 0.65

21) 3.75

22) 1.8

23) 0.75

24) 0.8

25) 0.2

26) 1.25

27) 0.6

28) 0.64

29) 1.5

30) 0.575

31) 0.75

3. 비율을 소수로 나타내기

134쪽

1 0.2	8 4.2	15 20.5
2 2.2	9 0.4	16 0.75
3 2.5	10 2.5	17 2.25
4 0.45	11 5.4	18 0.64
5 0.875	12 7.25	19 1.25
6 1.4	13 1.75	20 10.4
7 2.25	14 1.56	21 0.625

135쪽

22 1.5
23 5.25
24 0.28
25 3.4
26 0.625

연산&문장제 마무리

136쪽

1 $1:3$	8 $20:19$
2 $3:11$	9 $22:25$
3 $7:2$	10 $24:5$
4 $10:7$	11 $30:49$
5 $15:17$	12 $34:27$
6 $17:15$	13 $37:38$
7 $18:23$	14 $40:3$

15 $\dfrac{4}{11}$

16 $\dfrac{5}{9}$

17 $\dfrac{6}{11}$

18 $\dfrac{10}{3}$

19 $\dfrac{14}{18}\left(=\dfrac{7}{9}\right)$

20 $\dfrac{16}{24}\left(=\dfrac{2}{3}\right)$

21 $\dfrac{19}{4}$

137쪽

22 $\dfrac{22}{13}$

23 $\dfrac{24}{25}$

24 $\dfrac{28}{9}$

25 $\dfrac{31}{44}$

26 $\dfrac{34}{15}$

27 $\dfrac{36}{42}\left(=\dfrac{6}{7}\right)$

28 $\dfrac{40}{21}$

29 $\dfrac{41}{35}$

30 0.25	38 12.5
31 0.5	39 2.7
32 1.1	40 1.5
33 0.16	41 2.5
34 0.6	42 9.25
35 4.5	43 1.6
36 2.5	44 1.5
37 0.44	45 0.9

138쪽

46 $13:22$

47 $4:3$

48 $\dfrac{7}{9}$

49 $\dfrac{16}{7}$

50 0.8

51 1.6

52 1.25

6. 백분율

01
일차 **1. 비율을 백분율로 나타내기**

140쪽

1 2 %	6 17 %	13 66 %
2 9 %	7 22 %	14 71.5 %
3 10 %	8 27 %	15 76 %
4 13.2 %	9 38 %	16 80 %
5 14 %	10 46 %	17 92 %
	11 47.4 %	18 97 %
	12 58 %	19 99 %

141쪽

20 50 %	27 24 %	34 77.5 %
21 40 %	28 48 %	35 14 %
22 70 %	29 68 %	36 26 %
23 5 %	30 88 %	37 42 %
24 45 %	31 17.5 %	38 78 %
25 65 %	32 47.5 %	39 9 %
26 12 %	33 57.5 %	40 27 %

02
일차 **1. 비율을 백분율로 나타내기**

142쪽

1 6 %	8 50 %	15 52 %
2 13 %	9 61 %	16 96 %
3 16 %	10 89 %	17 42.5 %
4 21.5 %	11 25 %	18 72.5 %
5 24 %	12 80 %	19 62 %
6 35.7 %	13 30 %	20 86 %
7 36 %	14 55 %	21 79 %

143쪽

22 64 %
23 54 %
24 75 %
25 82.5 %
26 62 %

03
일차 **2. 백분율을 비율로 나타내기**

144쪽

1 0.03	6 0.3	13 0.61
2 0.08	7 0.32	14 0.66
3 0.15	8 0.35	15 0.72
4 0.19	9 0.39	16 0.77
5 0.22	10 0.47	17 0.86
	11 0.53	18 0.91
	12 0.59	19 0.98

145쪽

20 $\frac{6}{100}\left(=\frac{3}{50}\right)$ 27 $\frac{42}{100}\left(=\frac{21}{50}\right)$ 34 $\frac{75}{100}\left(=\frac{3}{4}\right)$

21 $\frac{12}{100}\left(=\frac{3}{25}\right)$ 28 $\frac{48}{100}\left(=\frac{12}{25}\right)$ 35 $\frac{80}{100}\left(=\frac{4}{5}\right)$

22 $\frac{16}{100}\left(=\frac{4}{25}\right)$ 29 $\frac{50}{100}\left(=\frac{1}{2}\right)$ 36 $\frac{84}{100}\left(=\frac{21}{25}\right)$

23 $\frac{20}{100}\left(=\frac{1}{5}\right)$ 30 $\frac{55}{100}\left(=\frac{11}{20}\right)$ 37 $\frac{88}{100}\left(=\frac{22}{25}\right)$

24 $\frac{29}{100}$ 31 $\frac{64}{100}\left(=\frac{16}{25}\right)$ 38 $\frac{95}{100}\left(=\frac{19}{20}\right)$

25 $\frac{34}{100}\left(=\frac{17}{50}\right)$ 32 $\frac{67}{100}$ 39 $\frac{96}{100}\left(=\frac{24}{25}\right)$

26 $\frac{38}{100}\left(=\frac{19}{50}\right)$ 33 $\frac{70}{100}\left(=\frac{7}{10}\right)$ 40 $\frac{99}{100}$

2. 백분율을 비율로 나타내기

146쪽

1 0.05

2 0.17

3 0.25

4 0.52

5 0.62

6 0.69

7 0.73

8 0.85

9 0.89

10 0.97

11 $\dfrac{2}{100}\left(=\dfrac{1}{50}\right)$

12 $\dfrac{14}{100}\left(=\dfrac{7}{50}\right)$

13 $\dfrac{21}{100}$

14 $\dfrac{28}{100}\left(=\dfrac{7}{25}\right)$

15 $\dfrac{33}{100}$

16 $\dfrac{40}{100}\left(=\dfrac{2}{5}\right)$

17 $\dfrac{57}{100}$

18 $\dfrac{65}{100}\left(=\dfrac{13}{20}\right)$

19 $\dfrac{78}{100}\left(=\dfrac{39}{50}\right)$

20 $\dfrac{87}{100}$

21 $\dfrac{90}{100}\left(=\dfrac{9}{10}\right)$

147쪽

22 $\dfrac{11}{100}$

23 $\dfrac{43}{100}$

24 $\dfrac{93}{100}$

25 0.68

26 0.74

연산&문장제 마무리

148쪽

1 5 %

2 14.5 %

3 18 %

4 20 %

5 26 %

6 34 %

7 57.5 %

8 73 %

9 82 %

10 98 %

11 75 %

12 10 %

13 15 %

14 95 %

15 8 %

16 32 %

17 22.5 %

18 92.5 %

19 22 %

20 98 %

21 53 %

149쪽

22 0.07

23 0.185

24 0.23

25 0.27

26 0.37

27 0.41

28 0.49

29 0.58

30 0.6

31 0.71

32 0.82

33 0.972

34 $\dfrac{9}{100}$

35 $\dfrac{13}{100}$

36 $\dfrac{24}{100}$ $\left(=\dfrac{6}{25}\right)$

37 $\dfrac{26}{100}$ $\left(=\dfrac{13}{50}\right)$

38 $\dfrac{31}{100}$

39 $\dfrac{45}{100}$ $\left(=\dfrac{9}{20}\right)$

40 $\dfrac{51}{100}$

41 $\dfrac{56}{100}$ $\left(=\dfrac{14}{25}\right)$

42 $\dfrac{63}{100}$

43 $\dfrac{76}{100}$ $\left(=\dfrac{19}{25}\right)$

44 $\dfrac{83}{100}$

45 $\dfrac{94}{100}$ $\left(=\dfrac{47}{50}\right)$

150쪽

46 6 %

47 94 %

48 40 %

49 0.18

50 0.349

51 $\dfrac{36}{100}\left(=\dfrac{9}{25}\right)$

52 $\dfrac{54}{100}\left(=\dfrac{27}{50}\right)$

7. 직육면체의 부피

01 일차 1. 직육면체의 부피

152쪽

1 $12\,cm^3$ **5** $6\,cm^3$ **10** $60\,cm^3$

2 $14\,cm^3$ **6** $20\,cm^3$ **11** $105\,cm^3$

3 $72\,cm^3$ **7** $30\,cm^3$ **12** $192\,cm^3$

4 $240\,cm^3$ **8** $48\,cm^3$ **13** $315\,cm^3$

9 $100\,cm^3$ **14** $336\,cm^3$

153쪽

15 $36\,cm^3$ **19** $72\,cm^3$

16 $48\,cm^3$ **20** $120\,cm^3$

17 $64\,cm^3$ **21** $128\,cm^3$

18 $80\,cm^3$ **22** $144\,cm^3$

02 일차 1. 직육면체의 부피

154쪽

1 $84\,cm^3$ **6** $15\,cm^3$

2 $96\,cm^3$ **7** $28\,cm^3$

3 $180\,cm^3$ **8** $70\,cm^3$

4 $210\,cm^3$ **9** $90\,cm^3$

5 $448\,cm^3$ **10** $140\,cm^3$

155쪽

11 $189\,cm^3$

12 $630\,cm^3$

13 $180\,cm^3$

14 $336\,cm^3$

03 일차 2. 정육면체의 부피

156쪽

1 $27\,cm^3$ **5** $1728\,cm^3$ **10** $17576\,cm^3$

2 $64\,cm^3$ **6** $3375\,cm^3$ **11** $21952\,cm^3$

3 $343\,cm^3$ **7** $5832\,cm^3$ **12** $27000\,cm^3$

4 $1331\,cm^3$ **8** $12167\,cm^3$ **13** $216000\,cm^3$

9 $13824\,cm^3$ **14** $343000\,cm^3$

157쪽

15 $1\,cm^3$ **19** $216\,cm^3$

16 $4913\,cm^3$ **20** $6859\,cm^3$

17 $8000\,cm^3$ **21** $91125\,cm^3$

18 $19683\,cm^3$ **22** $125000\,cm^3$

04 일차 2. 정육면체의 부피

158쪽

1 125 cm³
2 512 cm³
3 1000 cm³
4 2744 cm³
5 9261 cm³

6 729 cm³
7 2197 cm³
8 4096 cm³
9 15625 cm³
10 64000 cm³

159쪽

11 24389 cm³
12 512000 cm³
13 3375 cm³
14 42875 cm³

05 일차 3. 여러 가지 입체도형의 부피

160쪽

1 648 cm³
2 1356 cm³

3 1425 cm³
4 1512 cm³

161쪽

5 960 cm³
6 88 cm³
7 315 cm³

8 2730 cm³
9 580 cm³
10 864 cm³

06 일차 3. 여러 가지 입체도형의 부피

162쪽

1 5200 cm³
2 1560 cm³
3 336 cm³

4 1650 cm³
5 1632 cm³
6 352 cm³

163쪽

7 3840 cm³
8 516 cm³
9 6350 cm³

10 1719 cm³
11 1020 cm³
12 480 cm³

07 일차 4. 부피의 큰 단위 m³

164쪽

1 24 m³
2 27 m³
3 60 m³
4 125 m³

5 160 m³
6 175 m³
7 216 m³
8 378 m³
9 1331 m³

165쪽

10 1.92 m³
11 4.6 m³
12 15.625 m³
13 64 m³

14 8 m³
15 30.4 m³
16 148 m³
17 1000 m³

08 일차 4. 부피의 큰 단위 m³

166쪽

1 42 m^3 5 18 m^3

2 330 m^3 6 66 m^3

3 350 m^3 7 91.125 m^3

4 729 m^3 8 2197 m^3

167쪽

9 61.568 m^3

10 1.728 m^3

11 1.5 m^3

12 0.24 m^3

09 일차 연산&문장제 마무리

168쪽

1 72 cm^3 6 56 cm^3

2 216 cm^3 7 252 cm^3

3 672 cm^3 8 396 cm^3

4 1560 cm^3 9 512 cm^3

5 729000 cm^3 10 21952 cm^3

169쪽

11 4320 cm^3 16 3.2 m^3

12 2376 cm^3 17 7.2 m^3

13 2920 cm^3 18 9.6 m^3

14 5070 cm^3 19 125 m^3

15 276 cm^3 20 343 m^3

170쪽

21 30000 cm^3

22 27000 cm^3

23 15 cm^3

24 0.216 m^3

8. 직육면체의 겉넓이

01 일차 1. 직육면체의 겉넓이

172쪽

1 28 cm^2 4 148 cm^2 7 304 cm^2

2 100 cm^2 5 258 cm^2 8 350 cm^2

3 246 cm^2 6 262 cm^2 9 450 cm^2

173쪽

10 98 cm^2 14 136 cm^2

11 190 cm^2 15 202 cm^2

12 416 cm^2 16 208 cm^2

13 432 cm^2 17 514 cm^2

02 일차 1. 직육면체의 겉넓이

174쪽

1 54 cm^2
2 102 cm^2
3 162 cm^2
4 188 cm^2
5 288 cm^2

6 94 cm^2
7 198 cm^2
8 202 cm^2
9 264 cm^2
10 378 cm^2

175쪽

11 222 cm^2
12 256 cm^2
13 3808 cm^2
14 1172 cm^2

03 일차 2. 정육면체의 겉넓이

176쪽

1 24 cm^2
2 150 cm^2
3 486 cm^2

4 864 cm^2
5 1014 cm^2
6 1350 cm^2

7 2166 cm^2
8 3750 cm^2
9 5400 cm^2

177쪽

10 726 cm^2
11 1536 cm^2
12 4056 cm^2
13 6144 cm^2

14 600 cm^2
15 1944 cm^2
16 10584 cm^2
17 15000 cm^2

04 일차 2. 정육면체의 겉넓이

178쪽

1 96 cm^2
2 294 cm^2
3 1176 cm^2
4 2400 cm^2
5 4704 cm^2

6 6 cm^2
7 1734 cm^2
8 3174 cm^2
9 12150 cm^2
10 21600 cm^2

179쪽

11 1014 cm^2
12 3456 cm^2
13 12696 cm^2
14 24576 cm^2

05 일차 연산&문장제 마무리

180쪽

1 66 cm^2
2 184 cm^2
3 254 cm^2
4 382 cm^2
5 472 cm^2

6 54 cm^2
7 600 cm^2
8 1944 cm^2
9 2904 cm^2
10 7350 cm^2

181쪽

11 46 cm^2
12 252 cm^2
13 212 cm^2
14 574 cm^2
15 1102 cm^2

16 150 cm^2
17 232 cm^2
18 210 cm^2
19 5766 cm^2
20 13824 cm^2

182쪽

21 3260 cm^2
22 2646 cm^2
23 7200 cm^2
24 18150 cm^2